品味四讲

4 lectures

about taste

Works Of Chiang Hsun

蒋勋

长江出版传媒
长江文艺出版社

目 录

序 言

近几年在IC之音主持了一个叫作“美的沉思”的节目，其中谈生活美学的部分，由远流出版公司杨豫馨整理，编辑成这一册《天地有大美》（简体版再版时更名为《品味四讲》）。

“天地有大美而不言”是庄子的句子，我很喜欢，常常引用，就移来做了书名。

庄子谈美，很少以艺术举例，反而是从大自然、从一般生活中去发现美。

庄子讲美学，最动人的一段是“庖丁解牛”。“庖丁”是肢解牛的屠夫，在一般人的印象中，屠宰的工作，杀猪解牛，血淋淋的，似乎一无美感可言。

可是“庖丁”认真专注，在肢解牛的动作中，使当时上层阶级的文惠君震动了。文惠君如果活在今天，大概是常常跑国家剧院、国家音乐厅的“艺术爱好者”吧！某一天，他或许正看完了《歌剧魅影》，或听完了“柏林爱乐”的演奏，走回家去，刚好经过庖丁正在解牛的作坊，他没有匆匆走过，他停了一下，仔细观察庖丁的动作。他讶异极了！他发现庖丁在肢解牛时，干净利落，有极美好的动作，可以媲美“桑林之舞”；肢解牛时，也有极美的声音，可以媲美“咸池之乐”。用今天的话来说，文惠君竟然在屠宰场感觉到了比在剧院或音乐厅里更美，也更动人心魂的舞蹈与音乐。

因此，每次读完“庖丁解牛”，我都会问自己，我为什么还要花那么多钱到剧院或音乐厅？

如果我们不懂得在生活中感觉无所不在的美，三天两头跑剧院、音乐厅、画廊，也只是鄙俗的附庸风雅吧！

“庖丁解牛”惊醒了文惠君艺术的假象，返回到生活现实，寻找真正的美。

庖丁其实是真正的艺术家，他告诉文惠君：刚开始到屠宰场，负责肢解牛的身体，他是用砍的、割的，弄得一手血淋淋，的确不美。

日复一日，经由一种专注，在工作中可以历练出一种美。他告诉我们：

牛的关节，看起来盘根错节，其实可以理出头绪。因为专注，他逐渐看不见整只牛，他只专心在局部的骨节。

他说：骨节与骨节之间，有空隙，手中的刀刃，薄到没有厚度，因此“以无厚入有间，游刃有余”。

“游刃有余”，我们今天还在用的成语，正是来自庄子的这段故事。

“游刃有余”是生命有了挥洒的自由，“游刃有余”是自己的身体感觉到了空间的自由。

“游刃有余”是使自己从许多牵绊与束缚中解放出来，还原到纯粹的自我。

“游刃有余”正是美的最纯粹经验。我们感觉不到美，做事就绑手绑脚。我们一旦感觉到美，做任何事，都可以游刃有余。

IC之音是为新竹科技人设立的电台，也借着“美的沉思”这个节目，有机会可以和科学园区职场中的朋友认识。

我去过几家知名的企业，了解了科技人职场生活的辛苦。

他们可不可能也是一种现代的“庖丁”，在科技职场血淋淋的工作中厮杀竞争？

我如果要和这些朋友谈美，会不会太奢侈？

每星期一次，我怀着修行坐禅的心情，在电台的播音室讲“美的沉思”，我希望自己的语言，可以如同在屠宰场工作十九年后的庖丁的声音一样，可以做到游刃有余。

我们必定是自己先有了心灵的空间，才能有容纳他人的空间；我们必定是自己先感受到了美，才能把美与众人分享。

这一集的《天地有大美》便是多次广播的文字记录，里面谈到看来微不足道的“食、衣、住、行”，谈到再平凡不过的生活中的点点滴滴。

但是，离开“食、衣、住、行”这些平凡又琐碎的细节，生活也就失去了最重要的重心与中心。

美，或许不在剧院，不在音乐厅，不在画廊；美，就在我们生活中。

中国自古说“品味”，西方也有“Taste”一词，都说明“美”还是要回到“怎么吃”“怎么穿”“怎么住”“怎么行”的基本问题。

谢谢豫馨费心整理，也谢谢雅棠来我家配了许多生活中的图。我居所中随意放置的小物件，经他慧眼，仿佛也都有了各自存在的意义。

蒋勋

2005年11月10日

“美的沉思”获金钟奖次日

生活美学的起点

生活美学的起点

什么是美？

美的定义是什么？美的范围是什么？

我们可以从哲学的角度去谈论美的定义，也可以从艺术史切入来介绍古代埃及产生了哪些优美的艺术品，或者古代印度、中国有多美好的雕像或书法作品。如果现在不是从哲学切入，也不从艺术史切入，我想可以从一个非常好的角度，就是从“生活”切入。我特别将“生活”两个字放在“美学”前面，是希望美学不要太理论，不只是在大学里的一堂课，不只是一些学者、专家拿来做研究的题目，而希望美学，最后能真实体现在我们的日常生活里。

我常常有这样的感觉：现在社会已经相当富有了，各式各样的艺术活动非常频繁。二十世纪七十年代以后可以在台湾看到很多表演活动，甚至包括了世界最顶尖的团体。

巴黎、纽约或东京可以看到一些最有名的音乐家如傅尼叶（Pierre

Founier）的大提琴演奏，而台湾也办过多次装置展览（Installation），所以在艺术上我们好像也不见得逊色；最好的舞蹈团体像德国的皮娜·鲍什（Pina Bausch），或者美国重量级的康宁汉（Merce Cunningham）都曾经来过台湾。可是我所怀疑的是，如果从生活美学的角度来谈，我们会觉得台湾现在有这么丰富的画展、音乐会、表演等艺术活动，许多大学设有舞蹈系、音乐系、美术系、戏剧系，都是跟艺术相关的科系，但为什么常有朋友忽然就会提出一个疑问："我们的生活品质为什么没有相对地提高？"

我想我们讲这句话其实心里蛮沉重的，我们不希望它是一种批判，因为到世界各地旅行时，我只要离开台湾大概两三个礼拜，就会开始想念台湾了。其实我们对这个地方有很深的情感，所以不至于会用比较恶意或不负责任的批判来看待这个地方，可是的确会很有感触。这个感触是说，一方面想念台湾，一方面每次从一些重要的都市回到台湾的时候，飞机低飞到一个程度，你看到了底下的街道，看到了底下的建筑，你会开始觉得：这就是我要回到的地方吗？

特别是建筑。

台湾大学里有不少建筑系所，现在一些重要的大学也设立了一些建筑设计相关的科系。可是走到街道上抬头看看建筑物，我们自己居住的建筑究竟是什么样子？相信当我们很诚实地去面对这件事时，其实是蛮感伤的，我想这个感伤是源于听到来台湾旅行的朋友有时候会说：“你们的城市真丑。”

你心里面会有点生气，因为觉得这句话从一个游客的口中讲出来，有点歧视或污辱的感觉。可是，我相信很多朋友私底下聚在一起时，也会说到这句话。

我想大家可以一起来建立一个梦想：我们是不是能够把“美”放到现实生活当中来？举个例子，如果你现在从窗口看出去，会看到什么样的景象？是不是很多被称为“贩厝”的四楼到五楼公寓建筑，底下是骑楼，有一些商店，很多的招牌，那招牌大大小小，晚上常常会亮起各式各样的霓虹灯。

我们还有一个最奇特的景观，就是铁窗。如果你不曾到世界各地去，大概无法了解台湾的铁窗有多特别。我们看到大家刚搬进新公寓，就习惯性找人来装铁窗。铁窗的材质其实非常粗糙，大概不到一两年油漆就已经斑驳了，然后开始生锈，非常难看。钉入的方式，就是把整个房子像监牢一样地笼罩起来，我想不管从外面来看，或者坐在房间里面往外眺望，都没有景观可言了。我要强调的是，铁窗当然反映出一定的心理因素，就是防盗吧。

简单来讲就是没有安全感，我们觉得随时都会有小偷闯进来，所以加上铁窗、铁门、两三道的防盗锁，甚至再加上警铃。可是很多朋友也说，其实好像也没有什么防范的作用。也许现在窃盗的科技比我们住家的科技要好太多太多了，他要打开这个锁、剪断那扇铁窗，都是轻而易举的事情。可是铁窗已经变成某一种习惯，大家一住进去就开始装铁窗，没有经过反省，也没有经过思考。记得自己住进一间靠近河边简单的装修公寓时，我没有装铁窗，所有的邻居都来讶异地问："你怎么没有装铁窗？"好像这是一个非常奇特的现象，变成我也坐下来问我自己："为什么我没有装铁窗？"

我想这是一个好问题，也许是生活美学里开始质问自己的一个问题："我为什么要装铁窗？有什么帮助吗？如果不装铁窗，我会不会有一些更好的心灵视野？"

给自己
一个窗口

我们希望在生活美学里，“美”不再虚无缥缈，不再只是学者专家口中的一些理论，我们希望“美”能够踏踏实实在我们的生活里体现出来。

西方人常常讲“景观”，就是说你的住家有没有 View。当坐在窗口可以眺望出去的一个空间，例如可以看到河、看到山，甚至是一条漂亮的街道，行道树绿油油的，这些都叫作“景观”。大家可以来检查自己的住家，看看从窗口望见的是什么。

二十世纪七十年代后期我刚从欧洲回来，有个好朋友将台北南港附近一栋公寓的四楼免费让我借住。那栋公寓取名为“翠湖新城”，听到这名字就知道 View 一定很好，虽然铝门窗做得粗糙，房间也不怎样，可是我打开窗户，可以看到不远处有一个小池塘，其实称不上湖，但水面全是布袋莲。布袋莲是一种浮在水面上的绿色植物，夏天会开出漂亮的紫花。我很高兴地住下来，写作、读书、听音乐时，都可以从窗口看到这个翠湖。

接下来一段时间因为在编杂志，我花了一点时间到南部采访，大概不到一个月后回家时，发现回家有点困难，因为那区域正在施工。然后我爬上四楼打开窗户，觉得好像在做梦，因为那个湖不见了——它被泥土填满，上面已经开始在盖大楼了。大楼很快就盖好，变成我窗口新的View。结果朋友到我这儿来做客喝茶的时候，都会问说："你们家好奇怪！为什么会叫'翠湖新城'？旁边根本没有湖啊！"

我不知道该怎么回答这个问题。

这样的故事，其实变成我心中对生活美学里居住环境改变的一种沉痛回忆，我们的环境可以在一夕之间改变，而且好像所有的自然都没有办法被好好地保护下来。所以后来我在淡水河口也是四楼的居所，设计了十二扇窗子，全部可以往外推开。我当时心里面有点赌气，心想："看有谁那么厉害，可以把我的河填掉！"这十几年我住在这个河口，每天可以看到河流的涨潮退潮、黎明光线在河上的倒影，还有满月时分月亮从大屯山主峰后面升起来，满满月光全部映照在河水里。

最早朋友们来拜访时都会指责我："你干吗住到这么远！找你都不方便。"

因为那时还没有关渡大桥，得坐渡船来。可是现在他们非常喜欢过来，当他们在台北受伤的时候、觉得太过忙碌的时候，或心情烦闷了，他们觉得有一个地方可以坐下来跟我喝茶、听一听音乐，然后我也可以不要那么花时间照顾他们，他们自己坐在窗口看着河喝着茶，过一会儿会说：“我心情好了！我走了。”

大自然真的可以治疗我们，可以让我们整个繁忙的心情放轻松，找回自己。

我们不要忘记汉字里有一个字是非常非常应该去反省的，就是“忙”这个字。大家写一下“忙”，是“心”加上死亡的“亡”，如果太忙，心灵一定会死亡。

我觉得如果给自己一个窗口，其实是给自己一个悠闲的可能，有一个空间你可以眺望，你可以在那边看着日出日落，看着潮水的上涨与退去，你会感觉到生命与大自然有许许多多的对话。我觉得生活美学的重点是，你甚至不一定要离开家，不一定每天去赶音乐会、赶画廊的展览、赶艺术表演。我很大胆地说一句话：“艺术并不等于美。”

台湾富有之后，这些年来也特别重视文化工作，举办许多艺术的活动。例如“市政府”“文建会”这些主管单位举办的艺术节，加上私人企业主导的展览等，于是有些朋友会说：“好忙喔！住在都市里，我每天要赶画展，晚上要赶音乐会。”

像艺术季常常维持一个月的时间，由于觉得应该支持艺术季，而且这些活动很多是从世界各地请来的表演团体，错过了蛮可惜，所以每天晚上就去看表演。几天后往往就和坐在旁边的人熟悉起来，因为大家买的位子都差不多，见面就会打招呼。我印象很深的是大概连续一个多礼拜，我每天晚上都在剧院碰到一位朋友，他也见到我，然后有一天他坐下来以后就跟我说："好累喔！今天晚上又有表演。"

我忽然笑出来了。因为去看表演、听音乐会其实是放松，结果我们却变成了匆忙。如果变成了匆忙，这个艺术还有没有意义？艺术其实是要带给我们美的感受，到最后如果艺术多到好像我们被塞满而没有感受了，其实是适得其反。

所以我一直希望在生活美学里，我们要强调的美，并不只是匆忙地去赶艺术的集会，而是能够给自己一个静下来反省自我感受的空间。你的眼睛、你的耳朵，你的视觉、你的听觉，可以听到美的东西、可以看到美的东西，甚至你做一道菜可以品尝到美的滋味，这才是生活美学。我会从这样的基准点去重新审视"美"在现实生活面的角色。

天空线

生活美学里包括周遭所有存在的事物，像之前提到的铁窗与公寓建筑，是与建筑艺术相关的。在一个城市的发展期，我们会发现好像到处是工地，许多许多的房子匆匆忙忙地盖起来，如同雨后春笋。外来的朋友曾批评说：“为什么台湾的城市这么丑？为什么没有自己的风格？”

我们知道巴黎有它自己的建筑风格，伦敦、纽约也发展出建筑上的特征。有一个名词叫作“天空线”，在纽约的曼哈顿，会有人问：“在什么地方看纽约的‘天空线’会最美？”“哈得逊河口那几座大楼的剪影是最美的！”

我常常用“天空线”的观念回过头来审视我们自己的城市，我在想应该从哪里来观看我们的“天空线”。好像这个城市是从来没有被规划过的，它的混乱状态可以新旧杂陈，老建筑与新建筑之间产生这么多的矛盾与尴尬。

这几年大家意识到要保护古迹，认为台湾有很多古老的民居、庙宇其实非常珍贵，应该予以保护。可是，我记得有一次担任某个保护古迹委员会的委员，当时感到最痛苦的一点是，古迹的确被保护下来，可是古迹周遭近到只有两米的地方，就盖起一些大楼，这庙宇被整个包围在一片奇怪丑陋的建筑当中。当时我们的感觉是：“为什么西方没有这样的问题？”

你没有办法想象卢浮宫四周会有奇怪的大楼出现，所以法国的朋友到台湾会问：“怎么你们台北‘故宫’的对面，会出现这么一栋奇怪的大楼？”

他说如果卢浮宫的周遭有这样的建筑，将是不得了的事情，全民都会起来抗争的！我们才意识到我们不只是要保护古迹，其实还要保护古迹周遭空间里，可能两百到三百米之间所有“天空线”的干净。如果这个天空线被破坏了，这个空间被破坏了，等于是这个古迹被淹没掉，也被挤压死掉了。

很多朋友应该还记得台北市有个古迹是“北门”，大概是几座古城门里最漂亮的一个。在日据时代拆掉很多清朝时期的城墙和城门的时候，这个“北门”被当时的建筑史学者认为应该要保留下来。可是有一段时间为了新城市的交通，建造了一条快速环道从“北门”旁边挤压而过，甚至连半米的距离都没有，压迫到了这个古迹——你会觉得“北门”是一个年岁很老的老太太了，然而旁边的年轻人呼啸而过，似乎骑着重型摩托车把她震得摇摇欲坠。这个环道现在已经拆掉了，因为越来越多的人认为它让我们难堪，让我们觉得我们的历史没有被好好对待。

所以我相信生活美学的确是要回到生活的周遭。相信很多朋友的周遭都有类似的情况存在——不管在美浓、鹿港、新竹、台北——到处都有老房子，这些老房子是怎样被对待的？我们过去有没有善待传统美学的正确、健康的态度？我们应该知道我们怎么对待前人，后人就会怎么对待我们。我的意思是说，我们生活在一个城市里，一个市镇中，因为我们尊敬之前的历史和传统，以后的人才会尊敬我们留下来的东西。如果我们对所有过去人留下的东西如此草率、如此践踏、如此糟蹋，可以想象下一代人也会把我们留下来的所有东西，随便地糟蹋和践踏，如此这个地方就存留不下任何美的情感。

生活的美学是一种尊重，生活的美学是对过去旧有延续下来的秩序有一种尊重。

如果这种尊重消失了，人活着再富有，也会对所拥有的东西没有安全感。所以现在回到了一个问题点：是不是生活在台湾的朋友非常缺乏安全感，才会用一道一道的防盗锁，一层一层的铁窗铁门把自己关起来？我们在害怕什么？这种安全感的缺乏，是因为社会上真的存在许多窃盗、许多不安全的威胁吗？还是说我们心理上已经对人根本不存在尊敬了，我们觉得所有的人都可能是窃盗？这种防范，使得大家的心理处在一个不安全的状态，在这样的状态下，生活要谈美，恐怕就难上加难了！

我的意思是说，美应该是一种生命的从容，美应该是生命中的一种悠闲，美应该是生命的一种豁达。如果处在焦虑、不安全的状况，美大概很难存在。

我在“生活美学”这样的题目里，跟大家谈的内容可能是：我们在吃什么样的食物？我们在穿什么样的衣服？我们所有的交通工具是如何去设计而和人产生情感关系的？我们的住，房子是怎样被设计的？所谓的食、衣、住、行，不过是人活着最基本的一些条件而已。可是我们知道所有先进的国家，生活美学是实际在食、衣、住、行当中体现出来的。在欧洲，一个传统城市的居民，对食物的讲究是有品位的；对服装的讲究，价格不一定贵，可是要穿出个人的风格。我们知道所有的交通工具在设计时，考虑点都是跟人的空间感有关的，所以当交通设计没有弄好时，人在都市中就变得匆忙与拥挤。当然，更重要的还有居住的空间，所以城市的美学才会如此清楚地展现在我们面前。我们试试看，把生活美学拉近到食、衣、住、行，开始实际改善这四个层次。

搬到城市边缘

谈到生活美学这样一个课题，我还是会回到我自己的窗口。多年前，在都市里的居住受到了很大的创伤，觉得为什么一个城市二十四小时都充满了噪音？为什么周遭的空间是这么混乱？有时候你坐在窗口泡了一杯茶，希望安静下来可以读一本书，忽然就看到一包垃圾从上面的楼层丢出去了。我们无法理解垃圾为什么是这样丢的！这个街道是谁的？垃圾可以这样丢出去！当然这样的现象这些年慢慢好转了。可是十多年前这个受伤的经验，使我搬到城市边缘，居住在河流的旁边，自己有了一个小小的简陋公寓，四楼，可以看到外面的河水，我决定不要钉铁窗，虽然所有的邻居、朋友好意地提醒我："你怎么可以不钉铁窗？"

在台湾买房子，第一个就是钉铁窗、铁门，但我还是坚持找了个朋友设计十二个木头材质往外推的木窗。我在巴黎居住过，巴黎在十九世纪五十年代以后，曾有一位市长叫奥斯曼（Hausmann），设计出很多现在仍然留存的建筑：大概是五层楼到六层楼，那时候也没有电梯，每间房间都有一个小阳台、落地窗，落地窗外面有木头做的百叶窗。这个木头百叶窗其实并不完全为了防盗，基本上是为了隔离阳光，晚上睡觉的时候可以关起来。我也曾经到西班牙的马德里和巴塞罗那，观察到有些街上的铁窗做得非常漂亮，几乎变成艺术品，以粗重的铸铁或是铜条设计出非常美的花样，有的是藤蔓，有的是百合花。巴黎没有铁窗，巴塞罗那有铁窗，可是做成了艺术品。所以我会希望当我坐在窗口眺望河水的时候，能够有一个不同的景观和视野出来。

刚搬去时还没有关渡大桥，回家还需要坐一艘小小的渡船，过河大概要三分钟到五分钟，不定期地开船。可是我也觉得下了班以后没必要这么匆忙，坐在码头上等渡船来的时候，我就在那边读书，看一看四周的河水，看一看夕阳的反光，看一看红树林的生长，然后渡船的人来了，我跟他聊一聊天，他说："今天都没有什么人，所以我来得比较晚。"然后跟我抱歉说，"你是不是等很久？"我说："没有关系！"他就划着船带我过河，我在家前面一个小码头上岸返家。

我觉得生活的美学大概就是这样，遇到不顺利的情况时换个心情，并不会觉得这样不方便，也不认为这种不方便剥夺了自己；相反地，你会觉得每一天最美好的时间，是下班了以后回家的这一段渡船的经验。可是后来因为决定要盖关渡桥让交通更方便，渡船被取消不存在了，我反而很怀念那艘渡船。

我们的一生，从生到死，可以走得很快，也可以走得很慢。如果匆匆忙忙，好像从来没有好好看过自己走过的这条路两边到底有什么风景，其实是非常遗憾的。我觉得这一条路可以慢慢走得曲折一点，迂回一点，你的感觉就不一样了。

一个城市为了求快，就把所有的马路都开得笔直。可是不要忘记，我们如果去公园或古代的园林里，所有的路都是弯弯曲曲的。为什么弯曲，因为它告诉你说，你到了这个空间不要匆忙，让自己的步调放慢下来，可以绕走更大的圈子，因为这是你自己的生命。你越慢，得到的越多。所以在生活美学里所体会到的意义，会和现实当中不一样。我们在现实当中希望一直匆匆忙忙，每天打卡、上班、赚钱，都是在匆忙的状况中。可是我常常跟朋友提到说，我最喜欢中国古代建筑的一个名称，叫作“亭”。也许大家都有印象，爬山的时候忽然会有一个亭子，或者你走到溪流旁边忽然会有一个亭子，你发现有亭子处就是让你停下来的地方。

它是一个建筑空间，但也是一种提醒和暗示：“不要再走了！因为这边景观美极了。”

所以那个亭一定是可以眺望风景的地方。研究中国美术史的人都知道，宋代绘画里凡是画亭子的地方，一定是景观最好的地方，绝对不会随便添加上去。因为这个亭子表示：你人生到了最美的地方，应该停一停，如果不停下来就看不到美。所以生活美学的第一课应该是：懂得停一下。

我们白天上班真是够忙了，可是下班以后时间是自己的，我们停下来吧！去听一些自己要听的东西，去看一些自己要看的东西，一个礼拜上五天班真的也够忙够辛苦，压力极大。现在不是周休二日吗？那么这周休二日可不可以停一下？停下来其实是回来做自己，问一下自己说："这两天我想做什么样的事情？"

坐在河边发呆也好，或者带着孩子去看山上的一些树叶，可能在天气寒冷的时候变红了；或者去聆听下雨时雨水滴在水面上的声音……套用苏东坡《赤壁赋》的句子：惟江上之清风，与山间之明月，耳得之而为声，目遇之而成色，取之无禁，用之不竭，是造物者之无尽藏也，而吾与子之所共适。

意思是说，这些大自然的美，是不用一分钱买的，你甚至可以不用去画廊，不用去博物馆，不用去赶音乐会、赶表演。

你就是回到大自然，回到生活本身，发现无所不在的美。

这就是生活美学的起点。

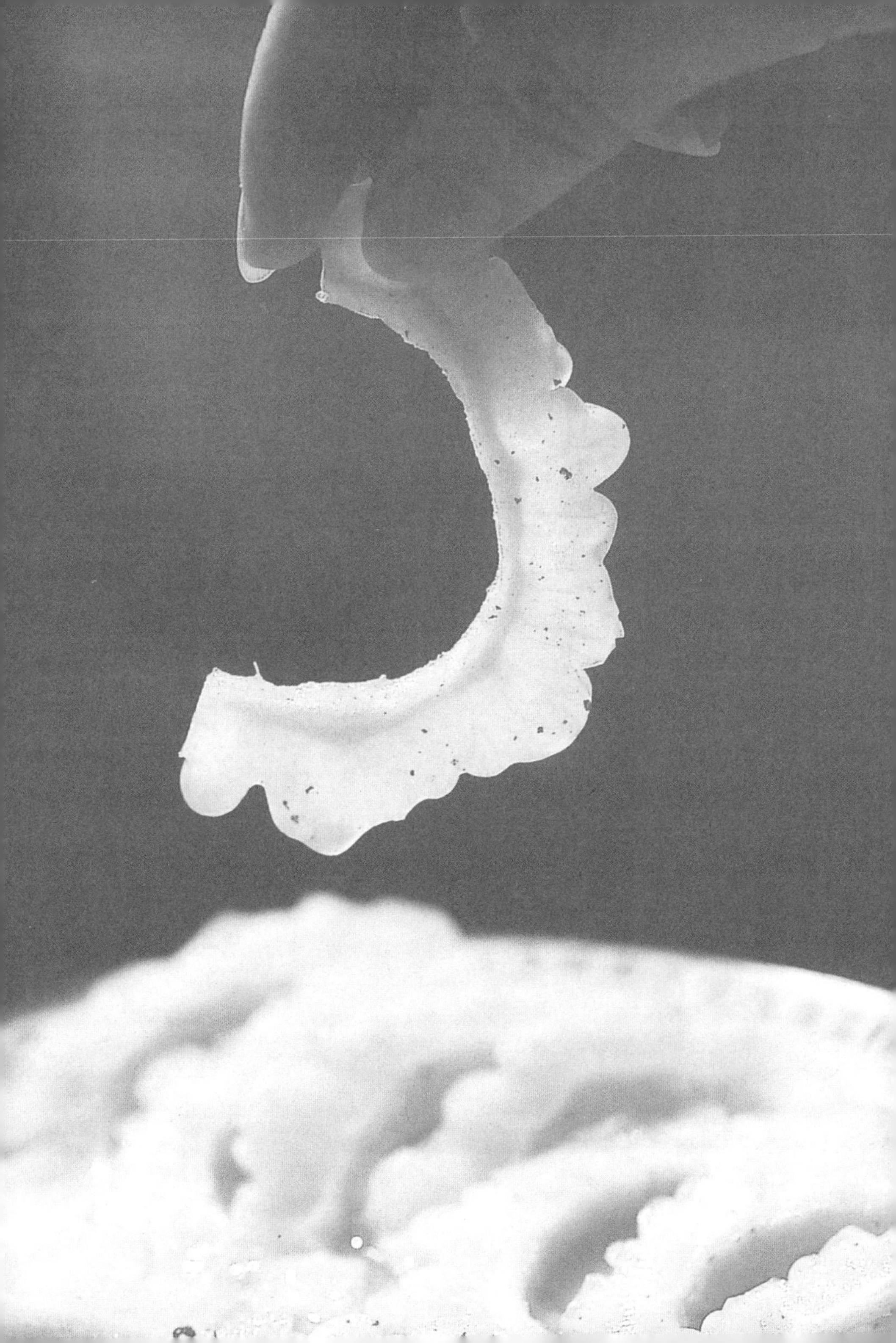

嶽麓書院

食之美

你会在脑海里浮现一些好像始终忘不掉的食物和料理，
它们不只是口感上的回忆，
不只是美食当前那种口腔里的快乐，
甚至会变成很特别的视觉记忆、嗅觉记忆，
甚至会让你在心灵上有一些特别的感动。

认识美的
重要开始：吃

在生活的点点滴滴中，经常会发生一些漫不经心、容易忘掉的小事情。可能在你的人生当中，并不认为这些小事有多重要；若是做自我介绍通常也不会提起来。可是有时候朋友私下聚在一块，聊起自己生命里很多美好回忆的时候，我不知道大家有没有印象，其中会有好多好多是跟吃东西有关的。

我好几次发现，在和最亲的朋友聚会，不是指在大庭广众、正经八百的毕业典礼、结婚典礼之类的谈话，而是大伙儿私密地吃完饭泡一杯茶或者喝一点小酒聊天的时候，大家会天南地北谈起在哪里吃到什么，哪里又吃了什么。我很惊讶的是怎么我跟大家一样，对一个地方的记忆常常是跟“吃”有关系的。有的朋友会觉得大庭广众下不太好意思谈这些事，似乎不登大雅之堂。我倒觉得今天谈生活美学，不需要谈些大雅之堂的事情，而该聊聊生活里点点滴滴的小事物。因为对这些小事物的重视和品味，会反映出真正的生活美学来。

比如说我会想到有些年我在中部教书，每个周末跟朋友或者学生一起开车回台北，如果没有太严重的塞车，车程两个小时到两个半小时，所以大概在中段刚好就是新竹。也刚好大家觉得开车一个多小时以后有一点累了，要找个休息的地方。但是我们不会特别想去高速公路旁边的交流站休息，因为交流站是蛮制式化的地方，贩卖的东西或建筑的空间都没有特色，那里也没有留存什么回忆。既然要休息，不如去做一件自己会特别想念、有意义的事，这时开车的朋友常常会说："我们去新竹城隍庙！"

我想新竹城隍庙对很多朋友来说是有记忆的，那个地方不只是一个庙宇，也是著名古迹，与传统农业社会里很多人的生活有关，所以人们到那个地方去拜拜，求神问卜，抽签，这间庙宇真的在扮演着非常重要的角色。大家也知道传统庙宇前面，大概都会有夜市，庙宇和夜市构成一种奇特而不可分割的关系。我想不只是新竹的城隍庙，很多的庙宇都是如此。

我成长于台北市大龙峒的庙宇前面，从小就知道要找最好吃的东西，大概就在庙宇的周遭，那里变成一个生活的重心；我相信是因为那里有传统、有历史，还是信仰的中心。我总觉得当心里有信仰、有历史感时，连吃的滋味都会不一样。

我从城隍庙庙口的吃来破题，大家也许觉得这是生活里不起眼的小事。可是我想要谈谈为什么庙口的东西特别好吃，为什么在那里摆

摊贩的商家敢指着自家的贡丸自豪地说:“我做的跟别家是不一样的!”有时候你嫌贵，他就说：“你也可以去买别家的！因为我的贡丸是不一样的。”很多朋友知道我周末会经过新竹城隍庙，就拜托我带点贡丸，我问他们是不是觉得那贡丸和台北的不一样，他们就说：“我上班很忙没什么感觉，可是我的孩子说‘新竹的贡丸’的确好吃。”这答案让我很高兴，原因是那些孩子没有多大，可是已经知道“品味”，他们懂得同样的产品，品质却可能大不相同。

我觉得生活美学最重要的，是体会品质。

大家注意一下，现实生活当中最大的矛盾，是我们离开了农业社会，离开了手工业社会，食、衣、住、行里很多东西是大量量产而来，工厂里量产的东西很少会有“人的关心”在里面，因为它太快速了。我的意思并不是量产的东西就不可能讲究品质，可是在工业的初期因为重视量，往往就忽略了质，“质量”这两个字是矛盾的。

不知道大家有没有印象：到西方一些最先进的工业国家去，你会发现他们卖得最贵的东西都特别强调手工制作（Hand Made）——这是我家里做的面包，这是我家里做的……“Hand Made”其实是对农业和手工业的巨大回忆，里面反映出对生活美学的重新寻找。所以庙口的食物为什么好吃，是因为庙口还保存了传统农业、手工业的记忆。我想从这样的角度去谈新竹城隍庙的吃，大家也许会觉得发人深省，原来它不只是一个普通的记忆而已。

我们从生活美学里入门时提到与我们有切身关系的食物——吃，可能特别是小吃，因为有时候觉得参加一些大型宴会，食物其实大同小异，感觉不到一种农业时代、手工业时代做出来的特别口感，其实这和品质有关。

我们一直说品味，谈到生活美学，最重要的是品味，西方叫Taste，我们发现“品”“味”都是在讲味觉，Taste也是讲味觉、讲吃。所以我觉得“吃”真的是人类认识美的一个最重要的开始。如果吃得粗糙、吃得乱七八糟，其他的美大概也很难讲究了。千万不要认为自己去参观画廊、听音乐会、看表演就已经有美了，我觉得美还是要回到生活基本面，真切讲究一下自己的吃。

工业革命之后，人类第一个被糟蹋的大概就是吃。想想看，所有上班族对“吃”都很难做到所谓的讲究，因为时间太匆忙了。

二十世纪三十年代西方重要导演卓别林拍过一部有名的电影《摩登时代》，当中对工业时代有诸多讽刺。像大工厂为了让员工缩短吃饭的时间，以便拉长工时创造更大生产量，就设计出一种“吃饭机器”：所以你看到员工坐在那个地方，机器把面包塞进他的嘴巴，然后汤倒进他的口中，接着还有一条毛巾扑过来把他的嘴巴擦一下。电影内容很好笑，其实是一部非常讽刺的幽默片，可是看着看着你会觉得很难过，因为曾几何时，《摩登时代》里面讽刺的现象，其实已经变成我们生活里的一种常态。比如大家可能去买一个粗制的便当，劣质油炸出来的猪排，然后匆匆地吃一吃，就算解决了。

我会觉得时间短并不表示品质一定会不好。例如有时候我们自己在家里精心做一点三明治带着，至少觉得你精心设计过自己要吃的东西，它的内容、品质真的还是不一样。

外食的品质并不好，我常常会建议一些朋友吃些素净的东西，自己做点简单的色拉或三明治带着吃，不会花费很多的时间。

现在有个名词叫作“垃圾食物”，医学上认为吃进垃圾食物，对身体根本没有任何的好处。而我是关心美的人，我会觉得它不美。

医生告诉我说，从最近一项调查中得知，现在每四位大学生当中，就有一人有心血管疾病。这么年轻的族群，心血管疾病是怎么来的？

当然跟食物有关！像是食用油的重复使用，或未注意到吃的品质。从中也让我们看到某一种感伤吧！就是现代摩登的工业社会，人好像匆忙到连自己最切身有关的“吃”这种行为都草率了事，只是把自己“喂饱”。我很不愿意用这两个字，可是我觉得“喂饱”是一个蛮让人伤心的人类行为，因为我们有时对动物都不会认为它们只是被“喂饱”。相信养过宠物的朋友都知道，它们的食物现在都可以因为主人的关照而十分讲究，何况是人？所以我会觉得可以从食物上来讲究，多爱自己一点，至少让吃的品质好一些。这样不论从身体的保养面，或是我要追求的美的形式面来说，“吃”这件事情都更容易趋近美学。

慢食的艺术

刚去欧洲的人都非常不习惯那里缓慢的用餐速度，尤其是晚餐，因为在台湾吃饭速度很快，大家都觉得应该快快了事。可是那里的人可以餐前酒喝个老半天，讲很久的话；前餐出来又介绍各种不同的制作方法，例如培根丝和别家有什么不一样，全都娓娓道来；然后接着跟你讲色拉，跟你谈这个汤，整个汤底是怎么样熬出来的……如果你是个性急的人，真会吃不下那顿饭，因为有可能会花掉三四个小时。但是请你记住我们前面所说的：所有生活的美学旨在抵抗一个字——忙。我们一再重复地说，忙就是心灵死亡，不要再忙了——你就开始有生活美学。所以现在你可以开始一个礼拜至少选择一天，和自己的家人坐下来好好吃一顿饭。不一定是到很贵的大餐厅去，也可以一块商量：“我们这一餐怎么安排？我们怎样去做一顿我们喜欢的食物？”

我有时在周休二日时会在家里做一道菜。将蒜切成很薄很薄的蒜片，加上橄榄油爆得香香的，用你的嗅觉感觉到它已经熟透了，这时放进切碎的洋葱，把洋葱炒到金黄色，洋葱的香味加上蒜爆香的香味……有些朋友大概已经知道我在做什么菜了。接着把揉碎的月桂叶放进去，又有一种不同的香味飘出来……这时我把所有烫好、剥过皮的鲜红番茄切碎放进锅里，加水、加胡椒，我要做意大利海鲜汤。

这是我最近很喜欢做的一道菜，整个过程中我很快乐，因为我觉得自己在认识很多不同的植物：蒜、洋葱、月桂叶、番茄、胡椒，每一种的味道都不一样，混合在一起却共同构成一种气息。尤其是把炉火调小，开始熬——我们用“熬”这个字，“熬”是小火慢慢去炖煮，所以这一锅汤会释放出最美的颜色和气味来，最后变成鲜红色。

我要谈的生活美学，是从这些过程去享受你的生命、去爱你的生活。

匆匆忙忙吃一顿饭的你，不会去爱你的生活；可是如果这样去准备、去享用一顿饭，你会爱你的生活，因为你觉得你为生活花过时间、花过心血，你为它准备过。当然我们真的太忙了，不可能每一天都这样费工，我只是建议朋友：是不是有可能一个礼拜的两天，如周休二日那两天，或者一天，或者一餐，坐下来跟家人好好吃一顿饭，恢复你的生活美学，从吃开始。

跟大家谈生活美学，谈着谈着谈起我自己最近喜欢做的意大利海鲜汤，好像在讲食谱一样，可是我想也许不只是在讲食谱吧！

提到自己做菜的经验，只是希望跟大家分享生活里一些非常小、非常细碎、你不容易注意到的快乐，好比我刚刚提到把蒜片爆香的快乐、把洋葱炒到金黄色的快乐、番茄被小火熬煮到释放出非常漂亮艳红色的快乐，还有把月桂叶揉碎以后，产生出一种非常特别的香味。

古代希腊为诗人戴在头上的桂冠，就是用月桂叶子编成的，所以你在煮汤的时候，还会想到很多古代希腊的神话是人类多么久远的一个传统。太阳神阿波罗曾经爱上一位美女叫达芙妮，但是达芙妮并不想跟阿波罗在一起，就拼命逃拼命跑，当然她跑不过太阳神，最后她的父亲就把她变成一棵月桂树。所以西方有座著名的雕刻，是俊美的阿波罗怀抱着一位很美的女子，可是那个女子的头发和手指已经变成月桂树的叶子和树枝了……当你在揉碎月桂叶放入意大利海鲜汤的时候，你会有好多文化上的联想。

接下来还会放胡椒，放料理用的白酒。白酒由葡萄酿成，它会释放出还是果实时所拥有的阳光的亮丽、所拥有的雨水的滋润、所拥有的那土壤肥沃的感觉。我常常在倒白酒前看一下白酒的年份，那个年份会让我回忆起那年的葡萄，它把最美的阳光、雨水、土壤都给了我。

海鲜部分，我通常选用台湾的透抽（就是小章鱼）或者一些贝类，

先用滚水烫过去腥，等到要吃的时候就直接下到海鲜汤里，最后加入九层塔。九层塔有一种特别的辛辣味道，可是太早放下去会变黑，所以等到要吃的时候才放进汤里。

这一道我喜欢做的菜肴变成了我的快乐，变成我认识身边的植物、气味的各种方法。而当我跟朋友舀起这碗汤、喝下这口汤的时候，我觉得它透过我的舌头、口腔，在唇齿之间留下了许多许多美好的记忆。这些记忆绝对不会粗糙，不会是吃过却没有感受，或粗鲁的“吃饱”感觉，我可以去细细地品尝。

把一样东西做好

我经常跟朋友说，“吃到饱”绝对不合乎生活美学，应该是有所品味地去吃，很精致地去吃，不要把“吃到饱”作为饮食的唯一目的。

我提过对新竹最深的记忆是城隍庙，因为那边的米粉、那边的贡丸，我在别的地方都吃不到。看来简单的米粉，你会体认到其中有不同的手工处理，从质感、咬劲、QQ 的感觉，你马上会知道这是新竹最好的米粉，而且就是某一家的产品，别家都做不到。好吃的贡丸是用非常好的瘦肉朝同一个方向搅拌打出来的，所以里面非常紧，不好吃的贡丸咬下去松泡泡的，没有紧的质感，也不会看到肉丸内里是朝一个方向在旋转。

我们会尊敬把一碗好吃的贡丸汤端到面前的这个人，他在这个社会里有一个被我尊敬的地位，因为他把一个东西做好了。生活美学里，各行各业的人都会被尊敬，因为他把米粉做好了，他把贡丸做好了，他不是一个空口说白话、讲一大堆空洞理论，而最后踏实的事情都做不好的人。

所以我会觉得，我不一定尊重这个社会里面做大官的人、有权力的人，或者有财富的人，但我尊敬每一个对他自己的专业认真的人。一个总统可以对他的专业认真，一个卖贡丸的人也可以对他的专业认真，他们在生活美学上是平等的。所以生活美学其实是呼唤我们对于人最基本的一个尊重，回来做自己，回来把自己本分的事情做好。为什么这么多人会怀念新竹的城隍庙，怀念那里某一家的贡丸和米粉，是因为这些人也许把他们的一生，甚至好几代的专业经验，都变成食物里的一种美感。这就是我们要特别强调的，人类文明里一些从传统经验留下来的最美的品质，不应该因为工业快速的量产就全部消失了。

最近我得到一份我很珍惜的礼物。有一位朋友从日本带了一盒珍贵的面条给我，放在漂亮的原木盒子里。我打开来十分惊讶，因为盒里附有一张官方发出的证件，上面有红色的印章、负责人的名字，表

示这面条由他制作、由他负责任。产品取名为“松の雪”，松树上的雪，就是冬天下的雪落在松枝上面，有松树的香味，而且非常的洁白。盒内一共有三十把面条，每一把都用红色的纸圈住，光是视觉上就美得不得了。说明书写明面条需要煮几分钟，水开了以后再加一次冷水，然后再沸一次，不需要加入任何其他的配料，只要一点点的醋或者酱油，拌起来可就香得不得了。我觉得一个文化可以尊敬手工业到如此的程度，让我十分感动，这也才是真正的生活美学。

天长地久的小吃

谈到新竹城隍庙的贡丸、米粉，不晓得大家脑海里会不会也想到很多很多你在世界各地吃小吃的记忆？可能是某一个小镇的猪脚，你会从很远很远的地方跑去品尝，因为那里有好几代的传统，可以将猪脚做出别家没有的特殊质感来。或者是某个地方用大火爆炒的鳝鱼意面，或者是简单到可能只加一点点调味料的那种担仔面：坐在小小的矮凳上，吃那样小小一碗，完全不是为了吃饱的目的。第一次去的人都吓一跳，这么小碗一口就没了，怎么会这样制作食物？可是我们知道，现在担仔面几乎已经变成台湾非常重要的食物品牌了，从南到北、大大小小、真真假假，有各式各样的类似商品出来。

或者大家会记得某一个庙口的蚵仔煎特别好吃。我到那个庙口的时候，学生会特别带我去吃“蚵仔青”。也许有些人不太了解蚵仔青是什么，就是生的蚵蘸着芥末吃。学生会特别跟我说，只有在这个庙口的这家蚵仔青可以吃，因为生蚵会有寄生虫不干净，可是这家有特别处理的方式，所以当地好几代都是他们的顾客，大家都很放心。

一谈起来，就有这么多关于吃的记忆，而且这些都不是“大吃”，而是“小吃”。我觉得这些小吃里面其实存在一个信仰，就是天长地久。

什么是天长地久？

我经营一种食品，并不是一次量产到某个程度，之后发了财赚了钱就不做了；而是我相信我的产品是被别人记忆着的，有人会从好远好远的地方特地跑来品味一番。

台北有一间知名餐厅经常有日本观光客大批大批光临，特地坐下来吃蟹粉小笼、鸡汤面，甚至是蛋炒饭。店门口队伍排得老长，即使旁边有很多模仿的店，却没有人去吃，为什么？

我相信这里面有一种品质，其实也是我们所讲的品牌。

我们注意“品质”“品牌”，这个“品”由三个“口”构成，一个人真的是从吃开始，有了所有的讲究，不要草率。就像蟹粉小笼，

懂得吃的人知道一定要用调羹帮忙取用。在调羹里加一点点的醋和酱油，一点点切得很细的嫩姜姜丝，然后一定要用筷子夹起来先咬一小口，不要咬得太大，否则里面的热气就跑光了。

咬一小口，你看到一点点的热气冒起来，这时先把里面的汤汁吸掉，享受那份美味，否则皮薄的蟹粉小笼一破掉，汤汁溢开就可惜了。这是品尝这份美味的诀窍，常常去那里吃的人都知道这些步骤。蟹粉小笼蒸煮的火候也拿捏恰当，汤汁这么饱满，别家做出来的火候可能不对，蒸出来干干的。这家蟹粉小笼的蟹粉和碎猪肉的比例也调配得刚刚好。

我们一直在讲，要回到生活美学的基本面，我们要懂得怎么去吃；可是如果吃的速度太匆忙、太快，两笼的蟹粉小笼都还吃不饱，你急着填肚子，结果就狼吞虎咽。

留给自己一点空间

“狼”吞“虎”咽——狼和虎都是动物，所以变成一种动物性的吃饱，好像填鸭一样。美绝对不是填鸭，美是一种比较精致的品尝。我不否认我们在日子匆忙里、生活匆忙里，有的时候会随便打发自己的吃，可是不要忘记我们一直强调的，生活美学是留给自己的一点点空间，并非很严苛地要求每天都要如此。

我们希望的是给自己周休二日真正的休息，也许只是一餐，可是你会找回你自己对食物的品味。因为找回了对食物的品味，第二天去上班时，你对于专业的要求也会变得不一样。

我常常觉得懂得新竹城隍庙贡丸和米粉好处的人，就算身在科技园区里，所做出来的事情专业程度也会不一样。因为他不认为产品只是粗糙的量产，会做得更讲究；他也会觉得自己的生命不只是一个机器，可以同时释放出人性的品质出来。

在回忆这些吃的过程的时候，我相信很多人脑海里有好多好多的记忆。我现在记起每次去巴黎一定会去的某个小巷子，里面有一家餐厅的橄榄鸭特别有名，是用希腊的青橄榄塞入鸭子的肚子去烤，非常特殊的一种味道。屋内只有几张小桌子，可是外面永远有一大堆人在等待。或者在巴黎塞纳河中间的小岛上，有一家特别有名的冰激凌店叫索贝（Sober）。店里纯用水果制作冰激凌，完全不添加奶油，也是大排长龙。

全世界这些吃的记忆只说明了一件事情，就是人类在长久吃的文化当中，其实是把吃变成了信仰、变成了传统、变成了历史，我们也希望在生活美学里源源不绝地能够把这些美的品质保留下来。

如果大家愿意做一点功课，我觉得至少可以从我们居住的生活周遭去发现吃的品质，大家呼朋引伴一起来赞美这项吃的品质，从而成为生活里品鉴美的重要开始。

口中的滋
味，美好的记忆

“民以食为天”是大家很熟悉的一句古话，意思是说老百姓或人民生活里最重要的一件事情，其实就是吃饭。过去一般老百姓碰到风不调、雨不顺的饥荒年代，可能连吃饱饭都很难，所以“民以食为天”也有一种对于执政者的警示吧！希望他们以老百姓的吃饱饭为念，将之当成最重要的一件事。

台北的“故宫博物院”收藏有中国上古时期一种铜器叫作“鼎”，就是大锅子。在出土的夏代青铜器里留有一些食物残留的遗迹，比如说肉块及五谷类的化石，说明“鼎”真的是拿来煮饭或者烧肉的一种锅子。

“鼎”后来慢慢变成君王权力的象征，在皇帝朝堂上放置了九座鼎，所谓“一言九鼎”，表示执政者的一句话就像九座鼎，代表一种不可撼动的力量。这意思当然也是一种警告：执政者是不能随便乱说话的，一句话就是一言九鼎。

“鼎”也代表了老百姓“民以食为天”的意义，身为一个执政者，你最大的责任在使老百姓能够吃饱饭、能够安居乐业、能够有事情做。汉民族，乃至亚洲地区，对于政权和吃饭、政权和食物之间的关系会特别强调，西方倒不会有这么明显的联系。所以汉民族这一句“民以食为天”的古话，可能到今天对亚洲很多地区的执政者来说，都还是有意义的格言吧！

在早期如史前时代的发展过程中，人们多从事游牧或狩猎，大部分食物是从动物取得，例如牛肉、羊肉；渔猎还可取到鱼肉。不过一般来讲，若是身处内陆或河流稀少区域的话，想要吃到鱼肉并非易事。

我自己有过一个经验。有次和朋友到蒙古国，从乌兰巴托走大草原到戈壁这一区域。他们的羊肉非常鲜美，刚开始可能我们来自南方较少吃羊肉，所以觉得羊肉也蛮好吃。可是十四天下来，我觉得自己很想变成一头羊，可以趴到草原去吃草——因为每天的食物完全没有植物类，一大早起来的早餐就是一大块羊肉，午餐晚餐也一样，到最后觉得全身都是羊的味道，然后才感觉到自己在食物的习惯里，有一种对植物的想念。

植物指的是青菜或者豆类，对植物的想念就是你会感觉到植物放在口中咀嚼的快乐。所以我当时真的做了一件傻事，就是去拔了一些青草放在嘴巴里去咬、去嚼。我由此想到，大家常常讲的“山珍海味”，“山珍”指的大概就是所有动物的肉类，比如果子狸，有些人专门爱吃一些奇怪的山产；所谓的“海味”，就是龙虾、鲍鱼这种海里的东西。我们发现山珍海味就是所谓的荤菜，不包含五谷或者植物类的食物。

不知道大家有没有感觉到，以我自己的成长背景来说，我觉得这些年大家对食物的感受性改变了很多。

我的童年到青少年应该是在台湾的五六十年代，当时经济条件还不好，大部分家庭都有自己的副业。所谓副业，就是种菜、养鸡、养鸭或者是养鹅，当然也有养猪的。我记得每一家的门口，都会有一个瓮放置 pun，闽南语的“pun”就是馊水，类似现在的厨余，把剩菜剩饭集在一起当作猪鸡鸭的饲料。我记得那时家里中饭、晚饭吃的大部分都是菜类，早上是稀饭配点豆腐乳、酱瓜、花生米，甚至有时候连这些小菜都没有。我印象很深的是有时稀饭会拌上猪油和酱油，或者白砂糖，就已经觉得很满足了。现在碰到同年龄的朋友，大家谈起来当年早上的一碗热稀饭，里面还调上猪油和酱油，就觉得好像是人间美味了。

水田边的空心菜

我们对食物的记忆非常奇特，你会发现一般人所讲的山珍海味，未必是自己一生最重要食物的记忆。有时我会怀念起童年时候家里院

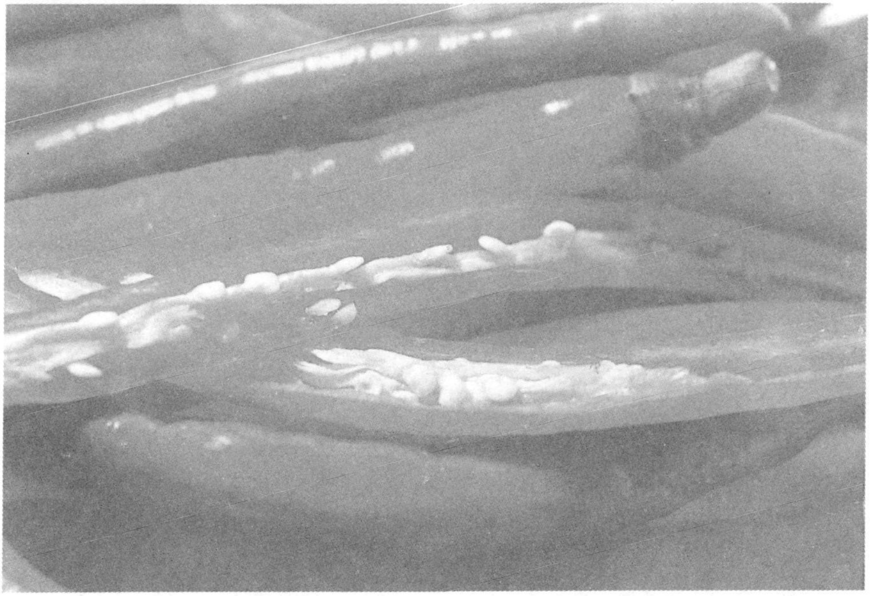

子里母亲种的空心菜，就在水田旁边一小块地。空心菜很容易生长，把它的根压进土里，没有多久就生出了叶子。现摘水嫩水嫩的空心菜，母亲有一种特别烹调的方法，就是用大蒜来炒菜叶，用醋熘来做菜茎——加醋、加一点辣椒来做醋熘，咬在口中时感觉到那空心菜鲜嫩鲜嫩、饱含水分的滋味，其实是我到现在对食物最大的怀念。

虽然现在到处吃得到空心菜，可是吃不出那种刚刚摘下来空心菜的鲜味。所以不见得山珍海味，最贵的鱼翅、鲍鱼、龙虾，就一定最美味；相反，有时候你怀念的，却是一碟小小的青菜。

在蒙古旅行的时候，我吃了很多很多的羊肉。

这一生吃过最怀念的羊肉，是在戈壁沙漠的一个山谷里。蒙古朋友骑快马去追羊群，然后抓取跑得最快的那一只，我想大概真是血脉贲张的状况里他们活活地宰杀了这头羊，放血后用炭烤。其实说炭烤不太准确，应该说用石头烧肉。那儿有一种特殊的石头，不论夏天高温到四十几度或冬天零下四十几度都不会崩裂。朋友用火去烧石头，到保温的程度后丢进一个大的金属桶里面，羊肉剁成块也丢进去，还随便在山里面抓了一些看起来像野草一样的配料也丢进去，羊肉就在桶里烫熟了。

我从来没有吃过这么好吃的羊肉，那种鲜嫩的滋味，到现在回想起来都非常动人。可是再好吃的东西如果每天吃、每天吃，最后大概都会变成蛮可怕的记忆。蒙古的经验让我第一次体会到：再好吃的东西都应该要有调配性。我想我们会发现美学是一种和谐。

在生活美学里，美是你学会了互相调配。人也是一样。我们看到生命的经验里有这么多不同的状况，而这些不同的状况，就像合唱团里的高音、中音、低音三部合唱，相异的曲调最后形成所谓的和谐。和谐一定是很多不同的声音共同达到的状况，我想味觉也是。所以我虽然很感谢蒙古朋友们带给我吃羊肉的美好经验，可是因为十四天来几乎每一餐都在吃羊肉，到最后变成对我来说一个蛮奇怪的经验，于是我就开始怀念台湾一碟很简单的青菜了。

等到蒙古的朋友到台湾来的时候，我就觉得应该要回报他们，带他们到东部海边去看台湾最好的风景，去吃台湾最好的食物。我想台湾是一个海岛，最好的食物其实是海鲜，所以点选九孔、小龙虾、鱼类各种好吃的菜，却发现这些蒙古朋友从头到尾非常礼貌地一直合十敬礼，可就是不动筷子。到最后我觉得他们好像并没有美食当前的反应而询问时，他们才很诚实地指着螃蟹、虾子说："我们叫这些东西'虫'，你们怎么会一桌子都是虫？"

我第一次感受到不同的族群对食物的反应也是这么的不一样，可以当作生活美学中非常有趣的一个讨论，因为我们发现，美常常是从自己主观的角度去看事物，我们无法理解另外一个族群的美感。就像我可能没办法理解蒙古朋友每天吃羊肉的快乐，他们大概也无法了解我每天吃海鲜的快乐。

有一天我在人类学书籍中读到，最靠北极圈的因纽特人的一支会吃一种很奇特的食物：在冰天雪地里肉类腐烂以后上面生长出来的蛆，他们叫作“肉芽”，是拿来招待朋友最珍贵的食物。

这地方我还没有去过，所以不知道如果去的时候，主人拿一盘蛆招待我时我该怎么面对？可是我倒要提醒大家，生活美学里每一种美都有自己的生态和背景，有时人们更换环境后，会对不了解的事情大惊小怪，可是真的见多识广以后就会见怪不怪了，我们应当尊重每一个族群自己发展出来的生活美学。

培养宽阔心胸

兰屿的达悟人男性惯穿丁字裤，可能有一段时间大家会觉得这服装蛮奇特的，可是当我在兰屿住了一段时间以后，我感觉到在那样的阳光、那样的气温、那样的海洋里，他们每一天要在海洋里劳动，你会发现丁字裤是他们最好、最适宜的服装。因为穿一条长裤根本不能工作，完全就被打湿了。所以对那些每天在海里工作捕鱼的人，丁字裤就是最好最合适的服装。这件事提醒了我们，应该在生活美学里开始培养一个宽阔的心胸！

美没有任何绝对好或不好的问题，它是相对的，你了解到这个文化的背景之后，就会开始尊重这个族群的生活方式。所以我觉得生活美学很重要的态度，其实是一种尊重的态度。

很多朋友到过阿拉伯地区，碰到过热情洋溢的阿拉伯朋友。在那儿招待最高贵客人的方式是请你品尝煮熟的羊眼睛。可是很多朋友面对好像正瞪着你瞧的羊眼睛时，简直不知道该怎么办，下不了那个刀，可是我想其实这就是生活的一种学习。我很希望在我们谈到食物的部分，提到很多不同族群之间食物的一些特征时，大家如果有机会接触到时不妨尝试一下。

我们不要忘记“尝试”的“尝”，就是品尝的“尝”，所以人生的滋味、生命的滋味是可以去品尝的，如果你没有偏见，多一点好奇，对各种食物都有一种品尝之心，那么你口腔里的滋味将会是非常非常丰富的，也会留下人生非常美好的记忆。

酸甜苦辣
的丰美人生

提到不同族群的不同食物，我们谈到了蒙古的羊肉、因纽特人的蛆、台湾地区的海鲜，都是从不同的生态发展出来的对食物的特殊认知或看法。当然，食物里还有一部分和文化是相关的，因为在漫长的历史发展过程当中，形成了自己的一种料理风格。

譬如说，日本料理非常明显地跟很多国家都不一样。今天在台湾很容易有机会吃到日本料理，而在纽约、罗马、巴黎这些大城市，日本料理已经变成一种食物的风格。例如生鱼片，就是日本这种靠近海洋以鱼为主要食物的民族，才能够吃出其中的精彩。我想生鱼片绝对不是一般人所了解的这么简单，只是把鱼皮剥了、切开，然后一片一片蘸着芥末吃就好了。熟知日本料理、懂得吃生鱼片的朋友，常常会邀请我到一家不错的日本料理店，坐在吧台上用餐。

也许你觉得奇怪，为何不坐在一般客人的位置？因为我们坐在吧台上，料理的师傅方便和客人对话，通常吧台上的位子没有几个，一定是常客。师傅会告诉你今天有什么鱼，哪个部位最好吃……我们知道像鲔鱼不同的部位有不同的口感，师傅会指点你其实鱼腹的某一块肉最好吃，那个部位的肉质感、柔软度、口感可以如何去感觉。你在其中会发现这是与食物相关的文化，是从非常长久的料理经验里总结出来的文化。

我的意思是说，谈到跟生活有关的食物美学，有一部分是指不同地区有相异的食物材料。可是还有一点更为重要，就是“材料”在文化的漫长历史当中，最后如何被“料理”出来。

用“料理”这个词，意思是需要人工去处理。我觉得日本的料理最接近自然，像处理鱼类的分工，鱼身哪一个部位应该怎么料理都很讲究，所以我们常常会觉得吃到最好的握寿司时，能享受到精致的口味，饭团跟上面一点点鱼肉之间的搭配，还有芥末分量的多寡，都是仔细考究过后的呈现。我们也知道，如果在一般超级市场买一种像牙膏般包装的芥末，大概品质不是很好。最好的芥末是用山葵的根现磨出来，店家会提供一把小锉刀让顾客自己磨泥，然后加一点点酱油就好，因为太多的酱油会干扰鱼的鲜味。很多人拿握寿司蘸酱油时是用饭团部分去蘸点酱油，其实这是错误的，正确的方式是以鱼片蘸食，如此握寿司入口时的口感才正确。

谈到这些细节我所要强调的是，在食物美学里的“料理”，“料”是材料，“理”是一个处理的方式。如果材料不好，当然食物不会好；

可是如果材料很好，却不会处理，结果一样不好，所以在过程中必须有很多人工步骤。

在吃日本料理时，你坐在吧台边，师傅绝对不会一次送上一大堆生鱼片，他是一份一份地给，而且会解释说先要吃哪种鱼、第二吃哪种鱼、第三吃哪种鱼，因为口味是有一个过程的，师傅不会把次序弄乱。我因此而觉得日本料理里有非常多值得学习的部分，所以很喜欢跟几个讲究的朋友去吃日本料理。

另外，泡在醋里切得很薄很薄的紫姜，透出淡淡的粉红色和紫色，也必不可少。通常吃完一片生鱼片，可以用这姜去清洗口腔里的味觉，再吃下一片生鱼片，让不同生鱼片的味觉不会互相干扰。

狼吞虎咽

我们注意一下，大吃大嚼的人速度太快，他的味觉其实十分混乱，所以给他再好的食物都没有用。有时候在一个宴席当中，你会看到大家在狼吞虎咽的状况，我们说狼“吞”虎“咽”，“吞”跟“咽”都没有咀嚼的过程，所以缺乏了品尝食物本身的一个美感。

希望大家可以慢慢把生活步调放慢下来。我们一再强调，并不是大家在今天这么繁忙的工商业社会里每一餐都要这样吃，而是不要忘记你有周休二日，你可以有一餐和你的家人去了解比较精致的食物，找回你味觉的可能。我特别强调的是：找回你味觉的可能。因为当你的味觉越来越麻木之后，其他的感官可能也会流失，于是在创造力、竞争力等方面会缺乏超越别人的可能性，因为味觉是人类认识世界重要的窗口之一。

早期的神农氏遍尝百草，就是用味觉尝出各种感觉的，所以狩猎时代过了以后人类进入农业时代，大部分的亚洲地区，尤其是汉民族便以农立国。以农立国，食物里最重要的就是五谷杂粮。

五谷杂粮就是米、麦等，如南方吃的稻米，北方吃的面条、馒头，或者是高粱、小米这类主食。不知道大家有没有发现，大概从我们的童年到现在，台湾米饭的消耗量大大地减少了。以前在发育年龄时，可能一点点的菜要配上三四碗饭；而现在大部分人其实常常吃菜不吃饭。这其实有点遗憾，因为五谷有五谷的香味可以品尝。如果是一碗品质非常好的米饭，每一粒米像珍珠一样，粒粒晶莹。在日本对米饭有特别烹调的方法，米特别精选过，上面撒一点点的芝麻，我常会觉得这样的米饭不用配任何菜，本身就够香的了。

每逢春节前后大家大吃大喝的时候，你会很奇怪忽然想喝一碗清粥，很想吃一碟小菜、青菜，因为油腻之后，忽然向往素净。用这样的观点去看食物，食物就不只满足肉体而已，恐怕也有心灵的满足在里面。同时在食物美学里，这也是一种“平衡”。可能在谈到衣、住、行时，我也会采用这样的观点切入。

基本上，我们发现人世间的美是一种平衡，也是一种和谐。

世界上没有绝对的好或绝对的坏，总是在平衡当中有一种搭配。平衡部分多了以后，你会发觉生命是非常丰富的，所以我们一再希望大家能够在味觉上去品尝一些不同的滋味。

我们对味觉的感受，其实也可能会随着不同年龄、不同成长环境等而有所变迁。

有些地方的人特别喜欢吃甜食，在去过的地方中，我觉得最爱吃甜食的是美国。不知道是不是因为是一个年轻的国家、年轻的民族，好像没有忧伤、没有太多沧桑，他们不太喜欢吃苦的东西，巧克力特别甜，冰激凌特别甜，甜点蛋糕，常常甜腻到有点无法入口。所以很有趣，从夏威夷一路到纽约，你会发现：“奇怪！美国这个国家的人体型特别大！”这可能跟吸收太多糖分有很大的关系。当然，吃甜真的是一种快乐，譬如说巧克力糖，就会使人心灵上快乐起来。它就是很 Sweet，让你有一种幸福感、甜蜜感。

中学女生的酸蜜饯

可是很奇怪长到青少年的时候，可能开始想恋爱了，有一点失落忧伤情绪时，好像就不是那么怀念甜的味觉，可能开始觉得“酸”也蛮有味道的。

我记得好像在中学的年龄吧，同班一些女同学有时候比男孩子发育得早，大概初中一二年级，她们常常喜欢吃一种带酸味的蜜饯，像酸梅之类，整天嘴巴里就含一颗酸梅，好像对酸味有很多的喜爱和回味。

酸跟甜是不是代表心灵不同阶段的成长？

其实甜味久了慢慢会发酸，酸味其实好像是人生第二种不同味觉的品尝，就是你会知道生命并不像童年想到的都是甜味，生命里面也有一点点发酸的忧伤的感觉，慢慢从这些味觉里面冒出来了。接下来譬如说辣的味觉，有的地区非常喜欢辣的味觉。寒冷的北方很喜欢爆裂的辣；可是在东南亚，不管越南菜、泰国菜还是缅甸菜，虽然都喜欢辣，但那个辣是跟甜味混在一起，非常奇特，跟北方的咸辣不一样。特别是泰国菜，喜欢放酸味的柠檬草，再加一点甜味，同时也有辣味在当中，让你觉得在炎热中去逼出汗来的一种感觉，滋味也很复杂。

不同的民族会提供出很多不同的料理，这是口味的一种强调。

大家都知道湖南、四川吃辣椒最厉害，但对不熟悉的人、不习惯的人，可能那辣一入口，你就觉得整个口腔都烫烧起来了。辣有一种强烈，有一种味觉上的刺激快感在里面，所以可能也是到某一个年龄以后，你开始觉得辣很过瘾，就像泼辣，就觉得不要有太多的遮遮掩掩、不要有太多的忸怩作态，直话直说。后来发现这些吃辣的民族，吃辣地区的人民，好像真的是讲话很大声，声洪气壮，个性也非常豪迈直爽。的确，你会发现味觉的美学是跟个性息息相关的。

我们看到甜的味觉可能发展成酸，多了一点忧伤，然后发展出泼辣的强烈，然后又发展出咸味。

咸味多半是在比较辛苦比较穷困的地区，经常把食物腌渍得非常咸，只要吃一点点，就可以配很多的白饭。譬如说，某些沿海地区腌制的咸鱼，吃一小口就可以吞下三四碗白饭，其实另外一个作用是减低食物的消耗量。

咸可能跟劳苦的记忆也有关系。还有“辛苦”，“辛”是一种味觉，“苦”也是一样。苦的味觉是在吃甜时难以忍受的事，童年最不喜欢吃苦，吃药的时候会皱着眉头，对于苦瓜也很排斥。

可是我们都知道，味觉到最后，会跟生命一样苦里回甘，会变成另外一种非常美好的回忆。所以最好的茶、最好的酒，其实常常是苦涩中的回甘，两种味觉还是互相搭配的关系。

就像如果今天要过年了，你要请朋友到家里吃饭，必须注意菜肴该如何搭配。

像非常油腻的冰糖炖肘子，绝对是一道好菜，可是你旁边最好有一道酸甜的苦瓜来配合，可以让我们的口味产生油腻之后的清爽。我想搭配才是最好的美学，你如果十盘菜都是冰糖扒猪蹄之类，大概别人真的会吃不消。

什么是吃不消？就是觉得生命里有一些东西太多、太重了。

我们觉得这个人真是吃不消、这个事情真是吃不消，都是因为太浓、少掉了搭配，并没有好坏的问题。我的意思是说，冰糖扒猪蹄或冰糖炖肘子还是一道好菜，问题是什么东西可以来做搭配，例如一盘清炒剑笋，两样菜就相得益彰。所以美学在食物里最容易表现出来，就是因为一桌子的菜肴中间，从前餐到甜点，其实就像是一个人生的搭配。你会发现少不掉甜、少不掉酸、少不掉苦、少不掉辣、少不掉咸，各种味觉搭配在一起，才是完美、丰富的人生，生活的美学也才真正得到一个完善的处理。

料理一道
生命的菜肴

如果我们怀念一个地方，譬如说我怀念新竹，是因为那里的城隍庙，因为城隍庙庙口的夜市，因为夜市的贡丸和米粉。就是在这个世界许许多多的角落里，你会怀念几个小小的市镇，小小的一些街道，可能因为那个市镇那些街道里，有你非常怀念的一些小吃。

我特别说是小吃，因为我一直觉得好像记忆里面，你真正眷恋的并不是那些很贵的山珍海味或大饭店里奇特的菜肴，而是一些在偏僻的巷弄里的小吃。为什么是小吃？我后来在想，可能因为那些小吃里有人用他一生或者好几代的时间，把心血全放进去了，所以我们会觉得他把那碗担仔面煮好，里面有一种认真。我觉得，这就是食物美学里让我感动的部分。

当我冲泡一杯茶给朋友喝时，我会跟他解释：这是最好的大吉岭红茶，要用几度的温水，可以加入其他何种味觉，然后能达到何种效果。譬如说有一段时间我喜欢在红茶里放一片新摘下来的薄荷叶子，那是薄荷的嫩芽，放进烫水里会跟茶香混合成另外一种清淡的味觉。

这个朋友可能上了一天的班非常疲累，或者今天被上司削了一顿，心情有一点不好。可是他坐在你的窗口，你给他泡了这杯茶，他可以感受到这杯茶里包含着关心。所以我常常觉得最好的关心有时候不一定是语言，而是一种味觉上的照顾。

你让他坐在窗台边，看着外面河流的风景，你给他泡这杯茶，跟他解释这茶的来源，然后放入一片绿色的薄荷叶，他会看到绿色的薄荷叶在烫水里慢慢变成透明，然后释放出薄荷清清淡淡的香味。这时好像他进门时跟你唠唠叨叨抱怨的那些生活里的不快乐，也随着那一缕轻烟散掉了。

这就是为什么我希望谈生活美学的原因，生活美学其实是安慰我们自己、鼓励我们自己一个最重要的方法。

我们并不需要一本讲人生格言的书，或是沉重的哲学书，或者是很严肃的宗教仪式来让自己快乐。我觉得，快乐可不可能建立在一些点点滴滴的生活小细节上？如果你选一个很好的瓷杯去泡一杯茶，放进一片薄荷叶子，这个过程本身会让你快乐起来。所以生活美学有时候比宗教、哲学都还重要。很多朋友皱着眉头读一本宗教书、哲学书，希望有所开悟，让自己的生活快乐起来；在跟这些朋友讨论的时候，我并不是反对宗教或哲学，而是如果自己没有关心生活细节，就还是离快乐很远。我觉得快乐和开心在生活里非常容易体现，就是从生活的小细节做起。

稀饭与腌渍苦瓜

如果是在过年的时候，你会发现，每一个朋友一方面大吃大喝，然后忙碌地拜年见朋友，一方面心里又产生焦虑，觉得过完年了马上要开始上班。在松散之后，立刻要进入很有纪律的上班打卡生活，其实是一种最困难而且最抗拒的心情。你常常觉得有些朋友在这时会生出工作恐惧症，因为放松了一段时间后，生活节奏一下子调适不回来。

我会在这个时候邀请朋友到家里来，先煮一锅稀饭。我会告诉朋友，住家附近不知道为什么发展出一种做咸鸭蛋的行业，而且特别强调是祖传的特别方法，切开咸鸭蛋时，蛋黄部分红红油油的，特别有滋味，配稀饭非常好。这是很容易取得、价钱又不昂贵的一道菜。

接下来我还会拿出自己配稀饭的一道绝活，就是苦瓜。

大家觉得苦瓜有什么好吃的，其实正因为它本身的苦，需要用很特别的方法处理，就变成对料理真正的考验。

我是和一位朋友学到这道料理的，最喜欢在过年时请朋友享用。

先把苦瓜洗干净，对剖开用自己的手指掏掉种子和瓜瓤，你会感觉到苦瓜瓤和种子的一些质感，会有触觉上很有趣的快乐。将苦瓜切成薄片，一片一片的苦瓜放进大口的瓷缸或玻璃瓶里。然后我开始用醋、水来调配腌汁，喜欢酸一点醋就多一点，喜欢淡一点水就多一点。加一点冰糖，然后很重要的是加入话梅，选择比较好的话梅八粒到十粒，最后切薄薄几片嫩姜进去一起煮。水开后，就把汤汁浇进瓷缸或玻璃瓶里，用盖子封好，冷却后再放进冰箱冷藏，大概一天以后就可以拿出来吃了。

这道腌渍苦瓜有非常好吃的话梅的酸甜、冰糖的甜味、醋的酸味，混合成非常奇特的滋味，它爽口、清淡到惊人的地步。

我试过很多次，凡是大吃过油腻食物的朋友，对这道菜都叹为观止。这道苦瓜，刚好是清洗油腻食物感觉的好东西，朋友吃完这样的稀饭、吃完红油心咸鸭蛋、吃完苦瓜，就会有很好的心情准备第二天要去打卡上班了。我觉得这是对朋友最好的关心，不需要语言，而可能是让人从味觉开始体会到自己生命里非常美好的部分。你不需要再给他加重油腻的东西，反而能够帮助他把油腻清除掉，所以他自己有更美好的心情去接纳第二天繁忙的工作。

我们在生活美学里提到食物，希望大家不要误会以为是教做菜，而是希望在料理的过程中，发现不同的文化、不同的历史、不同的民族，提供给我们最精彩的味觉的美学，从品尝食物开始，建立起自己对生活周遭所有点点滴滴小事物的注意。

我们提到像日本料理、泰国料理，还有意大利或者法国的烹饪都非常有名。很有趣的是有时候我们会想到英国，似乎很少听到英国料理，所以有一次我去伦敦，就好奇地问当地的朋友："什么是英国料理？"他们就笑了说："英国人没有什么料理，油炸鱼和马铃薯片大概就是主要的食物了。"

这就很奇怪了！因为英国的文学在世界文学史上举足轻重，伟大的作家莎士比亚、乔依斯等都非常了不起。文学上这么优秀的一个民族，怎么会对食物如此简单、草率？后来跟很多朋友谈起来，大家觉得大概从十六、十七世纪以后，英国的海权很发达，拥有很多殖民地，所以被称为"日不落帝国"。这么大的一个帝国好像一直忙碌着在外征服，而没有回到家里好好去做他们的料理。当然这是某一个朋友的解释，我们未必认定这是唯一的原因。

不过我在伦敦有另外不同的感触，身为一个世界级的大都市，你几乎可以在伦敦吃到全世界不同的料理，我就在伦敦吃到了最好的印度菜。过去觉得印度是一个较贫穷的国家，咖喱的味道也不好闻……如果你搭乘过印度航空的飞机，大概更不习惯机舱里某一种咖喱的味道。

可是我在伦敦第一次感觉到印度料理的精彩和精致，咖喱也是由非常多种不同口味混合而成，并不是我们平常吃到的那种粗糙的咖喱。那一次的经验纠正了我很多偏见，觉得不应该浮面地去看待另一个民族的文化。

料理呈现出民族美学

我在伦敦的中国城，也吃到了顶级的中国菜肴。在所有民族不同的料理里，中国菜大概是全世界知名度最高的。在漫长的历史进程中，中国的料理发展成精致的吃的文化，比其他民族更丰富、更复杂。

我常常觉得日本料理懂得分别出一条鱼各部位的用途，制作最顶尖的生鱼片时，可能有些部分会丢弃不用。这时我就会想到中国的菜肴里很少有丢弃的部分，好像材料里任何一个部位都可以拿来利用。我觉得这是中国料理里很有趣的特征，不晓得是不是因为在漫长的历史当中曾经有过非常贫穷的岁月和年代，而人在贫穷岁月时，其实会特别讲究，复杂到可能平常不吃的部分都想办法拿来利用。

在美国这种富有的国家，吃鱼是头尾都剁掉、骨头剔掉，然后就吃一块鱼肉。真正懂得吃鱼的人都知道，其实鱼头是非常好吃的，可是富有国家的人觉得太麻烦，所以就只吃一块很简单的鱼肉。或者更明显地，西方人吃鸡鸭时大概只吃胸肉。像我母亲有时会笑说：“这个人真是不懂吃，只会吃鸡胸肉。”

因为鸡胸是最没有运动的部位，口感不佳。所以懂得吃鸡鸭的人，知道如何品尝脖子、翅膀、鸡腿，这些地方都是肌肉常活动的部分，做法也不一样。我们甚至也吃鸭舌头，我想西方人大概连做梦都没想到怎么会去吃鸭舌头。可能中国的料理有长久的历史，甚至在饥荒当中，会把平常不那么注意去吃的部位都已经吃出了特别的滋味。我们还会卤鸡脚，做鸭掌料理，所有西方人可能都没有注意到的食物部位，都被我们料理出来了。我记得年轻时到欧洲留学，在菜市场还可以免费要到一大包鸡脚，因为西方人不知道那些东西要怎么吃，而我们却可以用很好的料理方法，做出非常美的滋味。

如果从另外一个历史角度来看待料理文化，它展现了一个民族长期生存下来非常复杂的经验，所以料理最容易呈现出民族的美学。

美国式快餐文化对世界的影响非常大，也常常被比较讲究的民族嘲笑。可是不能怪罪他们，因为美国的历史比较短浅，所以对食物处理方法的经验和记忆都还不多。这样比较起来，中国这个民族对食物的料理经验大概是全世界第一名，最复杂了。如果你到全国各地去，会发现平常吃到的湘菜、川菜、江浙菜，还只是具体而微的一小部分，在各个不同的地区，对于食物都有特别的处理方法。这些部分都让我觉得中国菜博大精深，要有更多的谦卑，才能够深入了解。

你会在脑海里浮现一些好像始终忘不掉的食物和料理，它们不只是口感上的回忆，不只是美食当前那种口腔里的快乐，甚至会变成很特别的视觉记忆、嗅觉记忆，甚至会让你在心灵上有一些特别的感动。

我就记得一道名字优美叫作“蝴蝶扑泉”的云南菜。

看到这个名字我充满好奇，就点了这道菜。它有一点像火锅，用厚底陶锅将水煮开后，把一种特别的石头烧得很烫丢在锅里。所以你会看到清澈的锅，里面只有清水和石头，完全像一块一块的石头沉在溪流里；这些石头烧得很烫，能使才刚烧开的水继续保持沸腾状态，又好像泉水不断地冒上来很多很多的泡泡。

接着上来一盘溪鱼肉片。溪鱼体型较小较圆，把头尾、皮、骨头处理过后，变成一片片非常薄像纸般的鱼肉。大家现在可以想想那个画面，如果鱼的脊椎骨被抽掉，两边鱼肉变成像纸一样的薄，就会像蝴蝶两侧的翅膀。当夹起新鲜鱼肉丢进锅里一涮的时候，它完全像一片蝴蝶，两边翅膀整个卷起好像就要飞起来，这就是取名为“蝴蝶扑泉”的由来：锅里沸腾的水是清澈的泉水，鲜嫩切得像纸一样薄的鱼肉就像蝴蝶的两片翅膀一一地扑在水中，你筷子一放开，它就在水里跟着沸腾的水滚动、翻腾，形同“蝴蝶扑泉”。

这道菜几乎没有佐料，只提供一小碟的姜汁蘸食鱼肉。

我想这已经不只是一道菜了，它让我想到蝴蝶翩翩飞在云南大山纵谷里溪流之上的景象，真是美极了。这个民族在做出这样一道料理的时候，把大山大水中一湾泉水和蝴蝶的记忆变成了菜肴。我被感动的不只是口感的清爽、视觉上呈现的美，甚至觉得山水之中云南民族的文化似乎在召唤着我了。

精致文化的传承

有时候觉得好的料理真的是像一首诗。我相信很多朋友在吃日本料理的时候，常常觉得端上来的菜肴完全像一首诗。日本也特别讲究餐具，有各种不同著名的“烧”。所谓“烧”，就是汉字里的窑，陶窑。譬如说叫清水烧或者热烧，是从不同地区陶窑烧制出来的陶碗、陶盘、瓷器。所以日本料理里，你会觉得不只有味觉上的快乐，视觉上对于这些小碟子、小盘子也有一种认知的过程，它所承接的这个物品，也是非常非常讲究的。

我们常常会发现，端来两片非常讲究的鲔鱼生鱼片，旁边会放上一朵菊花，或是一朵茶花，有时候是一片紫苏的叶子。这时候你会思考：这样的盘饰到底为的是味觉还是视觉？因为你并不会去吃这朵菊花，可是在色彩学上，这朵花刚好用它的黄色衬托出鱼肉的某一种透明度。所以我觉得一个讲究的料理到最后真会成为一种文化，非常值得被珍惜和传承。大家也知道，日本料理的师傅拥有非常崇高的社会地位，因为他用他的料理传承了精致的文化。

历史上改朝换代，政权的转移，大家常常觉得那是大事。可是我们知道，在一个拥有悠久文化的历史中，美的信息被传递才是一件大事。如果美的信息中断了，这个文化就成为历史的罪人。

我们可以看到日本有所谓的文化财、人间文化财，这些师傅被当成活着的宝贝，因为他们传承了历史、传承了文化、传承了美。

这种传承并不是在一个很特殊的研究所，或者大学里面去教学生，而是把美放在生活里让我们去认识，所以才弥足珍贵。回到我们自己的生活面来，大家可以观察看看有多少美的信息，能够在我们的每一天三餐中传承下来。我特别强调三餐，我们是怎么度过每一天的三餐？我们是不是在三餐里感觉到自己非常优美的文化？还是草草率率随便打发掉？我想这应该提醒我们如何能够恢复食物的品质，将最基本的生活美学从这里建立起来。

在生活美学谈到食物部分的结尾，我们特别希望大家能够在生活细节里面，重新呼唤起自己对食物的一些记忆。

如果刚好周休二日，家里的人会说：“今天我们去哪里吃饭？”

或者：“我们今天做什么菜？”如果是自己家里做菜，恐怕你会特别碰到一个问题——我要到哪一个市场去买菜？

我自己有一些偏好，譬如我不太喜欢去现代的超级市场，好像总觉得那边的食物已经被冰冻过，或者处理到已经几乎没有感觉了。传统市场让你觉得有一种人的快乐在其中，尤其小时候常常跟妈妈去传统市场买菜，会觉得大家都很熟。所以那些熟人当中，他会提醒你：“我今天有非常好的芋头，刚刚从山里挖出来的。”

你会感受到食材的新鲜，在超级市场可没人会跟你讲这件事。我到现在还会怀念小时候跟母亲去某一个肉铺，老板说：“今天的里脊肉很好，你要不要买一点？”然后他就拿新鲜的芋头叶子包着那块肉，用草绳扎起来交给我们。他绝对不是用塑料袋装的，在那个年代可能塑料袋也很贵。可是从今天的角度来看，这种处理食物的过程有环保的概念。

我们会觉得传统市场里面有一种对于物质的快乐，就是你会感觉到它跟我们今天在超级市场这种没有情感、冰冻的食物材料非常不同。

即使我住在巴黎时，也是去几个传统的市集，大概每个礼拜二或礼拜五会固定在某一个区有市集。法国一些家庭主妇或者买菜的人也不太愿意去超级市场，所以我们会发现超级市场好像是美国化的产物。在欧洲人们心理上常常会排斥去超市，实在没办法太忙碌的话，才只好去超级市场。可是一般讲起来，只要稍微放假的时间、度假的周末，大家还是愿意去市集。在市集里可以聊聊天，然后看到不同农家种出来的新鲜果蔬，或者自家酿的酒、自家特别方法做的鹅肝酱或者肉酱，充满一种人的亲切。这些跟我所提过怀念像新竹、万峦、鹿港的小吃是一样的，有人的记忆在里面。

我以前常去鹿港的时候，一定会走到某一个巷子去看看那位卖虾蛄的老太太还在不在。虾蛄是一种大头虾，老太太腌得很咸很下酒，我们通常也买得不多。鹿港巷弄里老太太的虾蛄大概是全世界做得最好吃的，所以我常常就会跑到那边去，特别去找她。前几年再去她已不在了。我心里面很难过。因为你觉得不只是虾蛄不在了，也是这个人离开了。小吃的记忆是一个历史，一个文化，我对鹿港很多的情感会跟这部分紧密地结合在一起。你会觉得她，一个我连名字都不知道的老太太，传承了鹿港某一种精致的品味。现在她消失了，可能鹿港多了另外一家快餐店，却少掉了历史厚重的味道，也少掉了我魂牵梦萦还想回去的这个记忆。所以我一直觉得小镇的文化其实常常与小吃结合在一起，也会变成人口往都市集中以后继续回流的重要动机。

法国也是一样，很多里昂人会往巴黎集中，可是在度假时他们就回到里昂来。有一个朋友的家乡在布列塔尼半岛，他跟我提过布列塔尼的可丽饼（Crepe）很好吃，在巴黎根本吃不到，所以我就跟他特别跑到布列塔尼靠海边的市镇去吃了可丽饼，这就是他的记忆。他已经住在巴黎很久了，成为一位大企业家，可是他还是怀念家乡布列塔尼的可丽饼，我想这就是我们很奇特的记忆。

我会记得以前淡水码头上一个卖蚵爹，就是蚵煎饼的小店，那家小店后来也消失了。当它消失后，淡水对我的吸引力就会少掉一个传承。

这些都构成了小镇文化中非常迷人的素质，也是大都市事实上无法取代的东西；因为大都市里的人太匆忙，匆忙到失去了精致品味的可能，所以大都市里大概千篇一律都会慢慢被快餐店所取代，人找不回他原有那个小镇文化的悠闲和精致。

所有的美通常产生在悠闲文化当中。

这也让我们了解到：为什么在周休二日的时候，我们会想逃离这个大都市，我们会到大都市周边的几个小镇去重新找回我们的小吃。

我想下一次大家可以再去感觉一下，你找的可能不只是小吃，而是小吃周遭的人的生活美学，周遭人的一种温暖，以及小吃文化给你一些非常重要的历史记忆。它们存在，才会有大都市的存在，如果小镇文化全部消失了，大都市会变成一个非常无趣的地方。

这是生活美学的第一个部分。希望大家也能够开始对食物用心，对食物讲究，在自己的生活里，好好为自己完成生命的菜肴。

衣之美

一件你喜爱的衣服，
真的像一位好朋友，有时候也像一个爱人。
有几件纯棉的白衬衫跟纯棉的卡其裤是我很喜欢的衣服，
让我觉得有长久穿着的记忆在里面，
对它们会特别花一点心血。
我舍不得用洗衣机去洗它们，怕会变形，
所以总是用比较好的洗衣精泡着，
有空的时候用手去揉搓干净，
我觉得那也是一种快乐。

身体
与服装

将美学具体体现在生活当中，除了食物以外，我想大家都能够了解到与生活最密切相关的，当然就是衣服了。

我们每一天都要穿衣服，包括了所有服饰的部分。如果今天问一个最粗浅的问题："你为什么穿衣服？"

"因为天气冷！"

也许一般朋友会很直截了当地这样回答。我们说避寒，尤其在寒带地方，如果不穿衣服会受冻，有时候我们说天气冷多加一件衣服，因为怕感冒。衣服最基本的存在目的就是御寒功能，有一点像我们谈到食物部分时所说的吃到饱。

我相信今天很多朋友穿衣服，已经不只是御寒；当然也有人认为，在人类文明慢慢地发展以后，衣服可能变成跟道德，或礼貌、礼教有关，因为我们看到西方很多的裸体雕像，后来常常在特别的部位用一片树叶盖着，这是蔽体的功能。不过早期人类都是裸体，这几乎是一个自然的状况，尤其在热带地区。

我们居住的地方其实算是亚热带，如果观察一下台湾少数民族的文化，譬如说我到兰屿看到达悟族的朋友，他们穿一件丁字裤，就可以过一整年。丁字裤就是他的服装，因为天气非常热，他们又要常常到海里去捕鱼和劳动，所以任何加在身上的纺织品，可能都变成了障碍。对达悟族的男性朋友而言，第一，他不需要御寒；第二，若要蔽体的话，只要一条丁字裤就够了。

甚至我在那边看到早期很多高山族的女性，上身也不太穿衣服的。大概二三十年前，我在兰屿看到达悟族女性朋友的一些舞蹈，像头发舞，就生出一种感动。那感动不只是对头发而已，甚至包括她们上半身身体那种丰富、那种健康。所以我觉得很有趣，我们自认为文明人，穿着很多衣服，可是我到兰屿去的时候，第一个感觉是我的身体没有达悟族朋友这么健康！

他们在阳光下、在海洋里、在大自然当中，身体被晒成古铜色，你会觉得非常非常漂亮。

我们来追溯人类久远的服装历史，看看服装是怎么发展起来的。在寒带地区，人们打猎以后会把动物的皮毛剥下来御寒，可是这个答案不能够解答热带地区的问题，像埃及、希腊、印度这几个古老的文明，都不在特别寒冷的地区。所以为什么希腊会有许多裸体的雕像，是因为当地炎热，希腊人运动时会把外面所罩的布匹整个解掉，裸体做运动，所以我们看到包括运动员、神像——如阿波罗、维纳斯等，也都是裸体呈现。

所以我想谈到衣，第一个是感觉一下身体吧！我们谈食物时提到的是我们的口腔、我们的舌头、我们的口腔跟食物的味觉之间的关系。而衣服的文化，则与我们的身体发生关联。

我们为什么要在身体上放一件衣服，可能是因为冷，可能是因为礼教、一些习惯，可是这类礼教和习惯，和御寒的问题会不会冲突？我举一个很简单的例子，我们居住在亚热带一个岛屿，既热又湿，夏季拉得很长，我们的上层文化要求男士们穿着正经正派的西装，打上领带，必须在有空调的房间里面开会，不然会热得受不了。我们从来没有想过，是不是需要耗费这么大量的电去开空调，为什么我们不能够少穿一些衣服？我们能不能设计一件衣服来取代穿西装打领带，由此免去强力的空调？

我把这个问题丢出来，也许大家会重新审视企业界或政治人物在服装上，是否能更有创意一点？这个创意包含了你对这个地区资源的珍惜，包括了环保。有时候看到菲律宾的官员穿着他们的民族服装，就觉得还不错，至少那衣服比较通风，从健康、卫生的观点看来对身体比较好。所以我常常觉得周遭环境的男士很可怜，很少有人想到可以对男士上班服装进行一点点服装美学的革命，就是可以轻便一点、适合热带地区；然后也可以更实用，更美观一点。

名牌领导风尚

每一位朋友早上起来穿衣服的时候，除了匆匆忙忙外，也希望能够多一点对衣服本身的思考。

什么是“对衣服多一点思考”？有些朋友很讲究穿衣服，譬如说穿的都是名牌。而名牌，是不是选择衣服唯一的方式？当然我不否认，有时我也会去逛一些名牌店。像亚曼尼（Armani）、Prada 这些服饰卖得非常贵，事实上不是每一个人都可以负担的。可是我当然会尊重这些名牌服饰的背后提出的一种创意，领导所谓风尚（Fashion）。事实上许多名牌跟欧洲的文化很相关，上层社会将服装的织料织品做到非常讲究的程度。丝、麻这些织料可以非常讲究，也可以很粗糙。棉的等级也可以分成非常多种。我曾经去过一间印度棉布的专卖店，那位老板告诉我：“印度棉花采收之后，棉丝有长有短。最长最柔软的棉花都由英、法名牌店收购去，像台湾地区等一般厂商根本就拿不到那种棉花。”

我这才知道原来棉花的等级分成这么多种。名牌服饰产品的纺织或者染色的过程里还会加入很多的人工，它有一种“讲究”。

其实讲究当然是一种美。有时候你会喜欢一块布，觉得抚摸时手上的质感是这么好。譬如说，最高级的克什米尔羊毛是指羊颈部的那块部位，因为最轻最柔软。所以如果你有一件克什米尔毛衣，拿在手上轻软又保暖，旅行的时候很方便，放在旅行箱里没有什么重量，可是穿起来又胜过好几件衣服。这个时候我们会觉得产品贵得有道理，因为它选择了最好的质地。所以谈到衣服会注意到织品的讲究，的确是经过精挑细选的过程。另外，当然这样的服装经过一流的设计师设计，设计师会运用本身的美感在之后如染色等过程里，加进最多文化的元素。

什么是“文化的元素”？

我曾经到意大利去参观一间名牌服装工厂，见到很多美术专业人员在研究一张古画，可能是达·芬奇的作品。他们尝试用现在的科技，以计算机分色做出画里某一种颜色用在织料上，譬如说是丝绸，然后变成来年流行的一种织品。这个时候我会觉得，他们的确把文化的元素放进这块布料里了。

譬如台湾今天有一间纺织厂，可能有生产廉价的棉布丝绸，但也聘用一些专业人员，到台北外双溪的“故宫”研究一张宋朝的画，将画里某一种色彩用计算机分色的方法做出来放在某一种丝绸上，这个丝绸就变成明年流行的服饰。如此顾客并不会觉得这件服装比较昂贵，因为其中含有专业人员在“故宫”做研究的投资。

其实人类的服装历史蛮复杂的。古代一件讲究的服装，光是绣工就不知道要经过多少人、多少年、多巧的手才能完成。如果这服装保存到今天，也是一件非常贵重的古董。这个贵重，不只是金钱层面，同时也是因为它有很多人的巧思、人的手工，保留住人类文明里面最精美的部分。

我想衣服的美学和食物的美学很不同的是，食物的美学基本上保存性不高，再好看的一道菜，最后还是会被吃掉；可是衣服可以保留到百年千年。日本上野美术馆收藏了一件过去帝王或贵族穿过的衣服，真是美极了！那种经过一千年岁月的淘洗，丝绸或是织锦的花纹、料子，让我觉得完全是一件艺术品。我想服装的文化，在这里其实更容易感觉到美感。

其实我并不鼓励大家一窝蜂地去买名牌服饰，因为当我在欧洲参观很多名牌的店铺、厂商，以及和研究人员交谈之后，我觉得名牌之所以成为名牌，是因为它们背后有文化的支撑。如果你跟这个文化并不协调，放在身上有时候会很勉强。

在意大利时我常常看到名牌店里很多日本观光客试穿衣服，我觉得他们没有注意到这家名牌跟他自己身体文化之间的关系。因为身体本身也是一个文化，有生理上结构的特征。譬如说，东方人的下半身其实是比西方人短，所以在穿上一个要强调下半身长度的衣服时，效果其实刚好适得其反。这个名牌不但不能够衬托出他身体的美，反而变成有一点怪异。

我会提醒很多的朋友注意观察自己跟名牌的适合性，服装其实是一门大学问，大家还是要花一点心血去了解自己适合什么样的颜色、什么样的造型、体态和什么样的服装搭配在一起是最对的，我觉得这才是衣服的美感；而不是太轻率地就交给名牌，认为花了几万台币买一件衣服，它就一定是好看的，其实可能并不一定。

纯棉衬衫就像爱人

在台湾亚热带地区，夏季很长，容易出汗，我有时候会去选一件百分之百纯棉的白衬衫穿在身上，既通风又吸汗。我常常跟朋友形容说：那件纯棉的衬衫真像一个爱人，因为它会让你觉得整个皮肤上有一种非常好的质感。

记得有一段时间，在台湾流行用现代化学方法做出来的尼龙衣服，其实穿上去很不舒服，因为汗都闷在里面，非常不通风。可是那时这类衣服也卖得很贵，几乎所有人趋之若鹜去添购，我想现在已慢慢被淘汰了。

服装虽然是一种风尚，可是一窝蜂的风尚并不完全是对的。有的时候奇怪的服装会变成一个社会价值的标准，就是因为大家都流行，如果没有经过自己的思考就跟着流行，反而没有真正美感的自我判断。

在生活美学里，我们一直比较希望强调的是：什么叫美？有自己独特的品味才叫美。

有时候你在地摊上看到一件衣服，不要认为一定不好，因为很有可能它的布料质感很好，然后很适合你。我觉得一直到现在我都喜欢某一种卡其布料子的衣服，这种布料很奇怪，洗涤次数越多就越舒服。这种衣服经过长期的洗涤以后，产生一种柔软和对皮肤的亲切，这是我所喜欢的衣服。

记得小时候很奇怪，我很怕穿新衣服。那个年代平常经济条件不是很好，大概就是过年的时候有“穿新衣、戴新帽”的习俗，我们家六个小孩就会被爸爸带到中华商场去，为每一个人买一件新的卡其衣服。卡其衣服刚做好的时候上浆过，质感很硬，把皮肤摩擦得非常不舒服，觉得像穿着盔甲一样，有时甚至将比较细嫩的地方都磨红磨破了。

所以我最怀念的卡其衣服是穿了一段时间以后，它的柔软度出来了，跟人的皮肤十分贴切。

鞋子也是一样，衣服的文化里很重要的一部分是鞋子。我常常跟朋友提到，鞋子很像一个好朋友，你穿久了以后，它会把你的走路习惯复制在这双鞋子上。所以新买的鞋子走起来就不那么舒服，去旅行时最好不要穿新鞋，否则脚会被磨破起水泡。

我想不管服装、鞋子，其实都是一个人身体的记忆。

我们不要忘记，记忆是一种美感，全新的东西就少掉了记忆的深情，没有深厚的感情在其中。有时候我不觉得今天经济条件好转后，很多人就以为常态性地更换衣服一定是快乐的——我想追逐衣服的时髦、流行，当然无可厚非，每一个人都有这样的心理，可是不要忘记：一件你喜爱的衣服，真的像一位好朋友，有时候也像一个爱人。几件纯棉的白衬衫跟纯棉的卡其裤是我很喜欢的衣服，让我觉得有长久穿着的记忆在里面，对它们会特别花一点心血。我舍不得用洗衣机去洗它们，怕会变形，所以总是用比较好的洗衣精泡着，有空的时候用手去揉搓干净，我觉得那也是一种快乐。当然很多朋友会说："我现在工作这么忙，哪里有时间自己洗衣服，把这个工作都交给洗衣机吧！"

我不反对洗衣机，还是有很多衣服或者袜子会用洗衣机来洗，可是我自己最喜欢的白衬衫，我会用手搓洗。而领口跟袖口的污垢或者汗渍，洗衣机未必能消除；可是如果稍微浸泡一下，时间够了，用手去揉搓，脏污就会消失了。

我不晓得当我在讲食物、衣服的时候，会不会在强调的，是让我们生活周遭的这些小东西都变成有感情在里面，因为美是一种感情。全新的东西很难觉得是美的，因为人的情感还没有加进去。我希望不论是谈到食、衣、住、行的哪一方面，机械性、物质性的东西都必须要有人的情感记忆注入其中后才会改变。所以小时候让我身体不舒服的新衣服，穿久以后慢慢跟我身体建立了贴切的关系，会成为我很深的情感。有时候看到自己还保留着的那件高中卡其服，就觉得很特殊，因为经过岁月之后，它有很多不同的东西在里面。

我想很多朋友也了解，人类过去的纺织历史还没有这么发达的时候，其实衣服不是像今天替换得这么快的。记得父亲、母亲那一代，有时候一件衣服可以穿好多好多年。例如母亲有一件棉袍，每一年冬天都拿出来晒，带着樟木箱里樟脑丸的味道。过年前后、重要的拜年场合，她会特别穿上。对她来讲这件衣服是非常珍贵的，因为她曾说外婆当年送给她这块布料，然后她找了手工师傅去做这件衣服……这件衣服对她而言是一个故事，所以她不会轻易舍弃；甚至母亲过世以后，我也不会轻易丢掉它，因为它有很多母亲身体的记忆存在着。

我想我在谈衣服文化的时候，一直希望朋友们可以了解到：每天换新衣服，是一种快乐；可是不要忘记留着几件你非常珍贵的衣服，那是另外一种快乐。美的快乐，很难用纯粹的物质来做衡量，就给自己另外一种不同的、怀旧的快乐吧！

文化的强势与弱势

在生活美学里和大家谈到衣服，也谈到名牌。不反对朋友去买名牌、关心名牌，甚至隔着橱窗欣赏名牌，可是不要忘记什么叫名牌。当名牌成为名牌以后，一定有非常漫长的文化和历史在背后支持。我们慢慢从名牌服饰知晓：其实名牌是一种强势、弱势的比较。

我举一个例子。大概三百年前当满族人入关，中华民族的外形发生了很大的改变，男人必须把额前头发剃掉一半，后面留一根长辫子。这不是中国原有汉族的发型，当时引发很多的悲剧。

汉族觉得“身体发肤，受之父母，不可毁伤”。除非出家，否则是不能够随便乱剃发的，这是印度佛教传来的观念。于是留头不留发、留发不留头，很多汉人竟然就这样牺牲了。这就是我所说的强势与弱势，到最后大家当然觉得还是留头不留发比较好，因为至少可以活下来，所以就改成了规定的样子。三百年清朝过去了，大家都觉得这个发型是对的，台湾地区早期的移民，一直到日据时代的廖添丁，都是此种发型，再没有人去思考这不是汉族的原样，而是满族人的发型。

接下来西方势力强大起来了，于是民国建立以后流行剪辫子，大家觉得剪辫子才是一个强势文化。如此分析起来大家就发现，服饰、发式都有文化上的强势与弱势。

譬如说，今天我们看到台湾企业界或者政治上的社会名流，基本上都打领带、穿西装，然后头发抹得油油的，这根本就是西方的形式。为什么打扮成这个样子？因为西方已经强盛起来，我们在模仿一个西方的形式。所以有时候觉得很好玩，你看到一位社会领袖在谈本土文化，可是我在想，他身上的衣服根本不本土啊！全部是洋装，不管男性、女性，都穿着洋装。这个时候的本土意识在哪里呢？谈到服装看来是小事，却反映出整个文化的大势所趋。我也提过，穿西装打领带其实并不适合台湾的气候，我们应该要有更多服装的创意。什么叫作“美”？美，绝对包含创意在内。

一个人把别人完成的东西毫不思考地放在自己的身上，这个人绝对不是有创意的人；包括花很贵的钱去买名牌包装自己，如果并不合适，仍然谈不上是创意，谈不上有美感。我们知道所有的美是被自己创造出来的，所以我们会说这个人好棒喔！他穿衣服真是有品位，有自己的独特性。

曾经担任英国首相的撒切尔夫人，就有自己的服装特色，她很清楚女性政治人物应该穿什么样的衣服。她的服装变化不大，可是有一种古典、传统的风格；她的服装不强调太过突兀的创新，可是绝对跟她政治文化的角色融合在一起。

有时候我观察社会名流，不管是企业界或是政治界人物，其实他的打扮已在说明他头脑里在想什么，因为服装已经比他口里的话更显示出他有没有文化的思考性。我们一再强调："美是一种独特的品位。"有时候一位文化界人士可以潇洒地穿着自己某些服装，创造出自己的风格。这个风格的意思是，它不一定很昂贵，可是跟他自己身体的感觉是可以合一的。

美国文化出现了一个很有趣的服装，就是牛仔裤。我们知道那原来是一种最耐磨的布料，因为在美国早期移民跟西部开拓史里，牧牛人骑在马上，所以不能穿细致的衣服。现在牛仔裤已经变成全世界的一种文化品牌，不管哪一个牌子的牛仔裤，最基本的原则就是耐磨，可以让你随便乱坐，你的身体不要那么拘谨。

可是你注意到没有？我们所有的政治人物跟上层的人物，他们的衣服是不能随便乱坐的，所以这里面已经分出来一个社会的阶层服装性。大家可以从服装文化来做点思考：台湾有大量的劳动人口，他们可不可能每天穿着西装、打着领带去劳动？其实是不可能的。所以西装、领带已变成上层阶级的符号。这时我们就了解到服装文化的背后其实相当有趣，不同的服装其实有强势、弱势的区别，我们可以从服装来判断出社会结构的多面性呈现。

创出独特的服装美学

人们穿衣服的历史非常漫长，每一个民族都发展出各自的纺织文化。

大家都知道，历史上创造蚕丝的是中国。黄帝妻子嫘祖发明养蚕取丝的故事可追溯到五千年之前，当然这个神话我们不一定完全相信，不过千万不要小看中国的丝织品。大家一定听过“丝路”，从魏晋南北朝一直到唐朝，这是欧洲跟古代中国之间最重要的一条经济道路，西方一直希望通过各种渠道取得中国的丝，因为丝是当时中国经济最大的来源。中国也自知这项最重要的能力，所以当时蚕茧是不准出口的，因为害怕西方人知道了怎么养蚕结茧，我们就失去了经济上的强势。

没想到之后西方的东罗马帝国，也就是拜占庭帝国跟中国联姻，有一位中国公主要嫁过去，他们就拜托中国公主的使者要求公主带一些蚕茧来。这位公主大概也觉得她要嫁到这么远的异国去，将来她就不是中国的公主，而是东罗马拜占庭的王妃了，也应该帮助一下夫家，所以就把蚕茧藏在发髻里带出了中国。东罗马因此有了丝，西方也开始生产丝织品。这是人类服装史里非常有趣的故事。

东方风再起

中国过去曾经是世界丝织品的重要创造者，可是今天已丧失了这个地位。不过这几年我在欧洲感觉到一个很有趣的现象，在服装美学上，东方风重新流行起来了。

如果大家这几年有过出国的经验，大概都会有跟我有类似的感觉，在纽约、罗马、巴黎、伦敦的街头，走着走着，忽然就觉得怎么一件东方的服装在眼前。这类东方服装可能包括了日本、中国，可能包括了韩国或者越南，甚至马来西亚或者柬埔寨的某些纱笼布，织品的感觉各不一样。

举最简单的例子，我想大家都知道三宅一生是这几年在欧洲最红的日本设计师，他开发出非常特殊的日式风格织品，征服了整个欧洲。还有在香港和上海出现的服装品牌——上海滩，推出某些中国民俗色彩的服装，譬如桃红配柳绿的滚边中国服装，现在在巴黎的街头走着走着，就会看到女性穿着这样的衣服走过来。旗袍也开始大量地流行，而最有趣的是：不只是女性穿上这类衣服，连 Gucci 这个名牌也把中国式的旗袍变成了男性服装，绣上团花而且开右边的盘扣。

我想提醒大家注意一下，服装界弥漫着东方情调，也在说明世界文化之间发展的趋势。因为我们提过，服装强弱势的发展是非常敏感的，下一波到底什么是强势？什么是弱势？我们要持续观察世界服装历史的演变才行。

我自己之所以对服装历史感兴趣，并不在于我要穿这些衣服，而是要透过服装的历史及衣服的美感来观察美学的信息，因为当中透露出人类文化一种新的趋向。这几年在巴黎，我也感觉到东方的食物料理店越来越强势，像泰式日式的料理愈来愈多，而且开始产生食物料理的品牌，不再像早期的中国餐馆是以廉价为号召。所以“食”跟“衣”都有东方风、亚洲风在世界蔓延，其间到底暗示着什么信息，可能是非常值得我们思考的地方。

不同民族在漫长的人类服装历史里，依据着自己的气候、生态、物产，发展出了不同服装的织品。中国有非常悠久的丝绸文明，印度也生产品质优良的棉花。印度人本来用手摇纺织机纺棉纱，在英国人殖民统治后改以机器纺纱，从此开拓出全世界最高贵品质的棉织品。

为什么中国会发展出最好的丝？

为什么印度会发展出最好的棉？

应该是与各国各地区的生态、气候有关，所以一定会发展出适合自己的文化出来。譬如说，记得二三十年前我到台湾中部的庐山、雾社一带去旅行，那个时候交通还不太发达，有时一连走几天的山路。在山路上，我就看到台湾泰雅族的老妇人坐在路边处理一种东西，就是麻。

台湾产麻，她把这种植物打烂以后晒干中间的纤维，加上漂洗和染色，就在路边用很简单的纺织机纺麻，织成她们服装用的某些布料。

不管是中国的丝、麻还是印度的棉，其实都跟自己的文化记忆有关，大家从文化里最后发展出提供给世界最好的一种织品。如果提到游牧民族、比较寒冷地区的民族，像是蒙古，就会发展出全世界最好的皮毛，因为天寒地冻中，蒙古人知道如何利用动物的皮毛制作服装。

台北“故宫博物院”有一张元朝的画作《元世祖出猎图》，作者刘贯道是当时的御衣局使。御衣局，就是专门掌管皇室衣物的办公室。这张画表现出当时元世祖忽必烈跟皇后在秋天打猎的情景，如果大家看过这张画，可能会记得元世祖穿了一件非常漂亮的貂皮大衣，貂皮又轻又软，就适合寒冷地带。不论是皮毛、丝绸、棉或者麻这些不同的质料，我想就是大家感受服装美学时首先领略到的织品的美。

服装分出阶级

我觉得服装最容易反映出阶级性。

不论古今中外，所有上层阶级的衣服都非常地拘谨，因为衣服已经变成一个政治符号。我有时候看到古代皇帝的图像就好同情他们，那套龙袍穿上去要花许久时间吧。也有一个朋友嫁到日本去，她告诉我她结婚时所穿的礼服共十五件，穿上后一整天动也不能动。因为那是上层贵族的服装，贵族会用衣服来分出阶级，强调出自己的重要性和与别人的差异性。如果是劳动的朋友，衣服当然是以工作方便为主。于是你发现这个社会里服装会分出很明显的阶级，穿这种服装的人和穿另外一种服装的人，头脑里的思考应该也是不一样的。

法国以前最强盛的时候，有一个皇帝路易十四留下来一张很重要的画像，如果你去凡尔赛宫看到那张画像，包准忍不住笑出来。

他在五六十岁的时候，特地找画家来替他作画。他身穿大礼服，头戴男性贵族流行的银白色假发，里面好像很多弹簧，走路时弹簧头发就会跳跳跳。我们知道现在西方很多法官和大学教授，上课还要戴这种假发，因为它代表了一个阶级。如果天气热时这样毛毛的头发戴在头上，真会闷热得受不了。

看完头发，你就看到路易十四的衣服丝绒一层又一层，外面再罩上一件很大很大的貂皮披风，上面绣满了花。接下来你就会觉得这个皇帝很滑稽，就是他下半身穿着芭蕾舞者般的紧身裤，身上佩戴许多剑、珠宝，一大堆行头。他摆了一个姿势，有一点像现在明星的丁字脚站法。

最奇怪是他脚上穿着红色高跟鞋，这么胖的皇帝穿着一双红色的高跟鞋，鞋头有红色的蝴蝶结，上面镶满钻石。

我每次看到这张画就觉得蛮好笑的，历史上被称为太阳王的路易十四，这身打扮可真累坏他了。所以我常常会同情上层阶级的人或者政治领袖，会觉得他们真的蛮拘谨的。就算天气炎热，还得打着领带、穿着西装，去跟所谓劳动人民握手——可能为了要选举，或者要亲近人民，可是他的服装却缺乏亲民性。所以我常常觉得服装的目的之一，应该是要让自己觉得舒服安适。

现在比较好的是有所谓“休闲服”这样的观念出来，你也可以穿得很优雅，同时坐、卧、行、走，都不会觉得不舒服。想想看打了个领带，你怎么可能卧，然后脖子被勒得不舒服到极点。

我觉得一位政治领袖如果聪明的话，可以创造出新的服装美学风格出来。这样不见得会不礼貌，只要把美学风格建立起来，人民是可以接受的。

服装是不能骗人的，穿着可能二三十万台币的名牌服装，你怎么去亲近人民？老百姓的衣服也许不到两千台币，这时候就没有办法构成亲民性。

可见服装是很重要的一个象征和符号，社会领袖人物尤其应该注意如何使服装本身变成自己重要的形象符号，因为它是不能作假的，我一再强调：它是不能作假的。

另外，我看到文化界很多人的服装是比较自然的，可以强调出卫生、干净、礼貌，可是不见得一定在强调名牌。有人穿着很自然的卡其衣服、很素朴的白衬衫，然后也能够呈现出自我的风格。

我们会希望也许在穿衣服的服装美感文化里，有更多这样的人物出来。甚至我也觉得很多企业家其实可以创造出自己穿衣服的独特文化来，一方面你建立自己的优雅性，讲究质料和造型；另外也不要忽略跟自己员工之间的亲和力。

我相信这样的思考非常重要，因为美不应该在最后变成让大家感觉陌生跟害怕。

路易十四为什么得穿成那副模样，因为他一出现所有人都得跪下，叫作“鹤立鸡群”，就是一只鹤站在所有鸡的面前。我现在要问的是，如果你是一位社会的领袖人物，你愿意成为人民之外的一个鹤立鸡群的人物吗？

不要忘记：你是被这些人选出来的！不管企业家或是政治领袖，底下都有员工或者选民，如果你的服装独特性太强，其实就造成了中间的隔阂，这些人会觉得你并没有跟他们产生亲和的关系。

以前的女性更是可怜。中国古代有一句话讲得非常好，说是“女为悦己者容”，在强势男性沙文文化控制下，女性必须装扮成男人所欣赏的样子。所以中国古代宫廷的女性要缠小脚，脚掌变形缠得很小很小，因为男人喜欢。西方女人则把腰勒得好细好细，甚至特地开刀拿掉最下面两根肋骨，十六、十七世纪欧洲宫廷的公主或是王妃，就是这样恶整自己的，在人类学上这是不可思议的事情。

从这里可以看到服装的历史中，一个强势者可以用美感来压迫虐待弱势力的人，我不禁要问：我们今天是不是还有这样的现象？如果还有的话，我们能不能说自己是一个民主的时代？

民主的时代应该会有自己穿衣的独特美学，如果现今政治人物并没有服装的独特品位跟创造力的话，这个地方的独立思考到底在哪里？

其实这一直是我打下的一个大问号。所以我会不断地追问在生活美学里，如何能让有思考力、有判断力、有独立思考的社会领袖人物，真正能够把服装美学穿出来。我去印度尼西亚的巴厘岛时，看到当地人围着一块纱笼的服装，都觉得可能比我们更有自己本土的独立思考意识，我就会开始怀疑，我们独立思考的意识形态到底建立在什么基础上面？

制服年代

谈到跟我们生活息息相关的服装美学，希望唤起很多朋友的一些记忆。我不知道大家记不记得可能在二十年前，或者三十年前的台湾，所有学生上学所穿的衣服，都是叫作制服。回想一下当时，譬如我在高中时候穿的制服，头上戴一个圆形大盘帽，上身跟裤子都是卡其服装。

你会发现如果以男学生的服装来讲，其实根本是军人服装的延续；可能当时等于是全民皆兵，所以从小学、初中到高中的成长经验里，所有学校的服装其实也就是军服。

是不是那个年代在强调以军人“治国”的理念，然后就把军人的制服推广到所有教育系统当中去？

还有一点，很多朋友一定也会发现，当人们需要强烈管理一个团体的时候，都会用到制服，例如监狱和军队。这两者都由很强势的命令在管理着，所以不能让你有自己衣服的独特性，要让你穿上制服。

我看过一些从人类行为学来探讨服装的书。例如一个黑社会大哥平常很有个性，嚼着槟榔，穿着独特的服装。可是他犯法被捕关进监狱后，首先被剃光头，然后就让他穿上跟大家一样的衣服。我们知道在人类的文化行为学上，头发是很明显的特征，服装也是。为什么剃光头发？为什么穿上制服？就是要消除你的特征，让你原来的气派跟霸势忽然消失。

西方《圣经》也有一个故事，《旧约·士师记》有个叫参孙（samson）的大力士无人能敌，可是他的秘密却在头发上，只要头发被剪掉，力气就消失了。其实这是一个很有趣的暗示，就是人类的某一种独特性会表现在头发或者服饰上，如果这些划一以后，你就失去了个性。

我记得很清楚，我自己在学校读书的时候穿的制服，就不能强调自己的个性。男生都要留三分头，只要稍微长出帽檐以外，就会被教官处罚。当时女孩子的头发一定要在耳朵以上，耳朵以下是要记过的。这些都说明了服饰本身的美学变成制度化、划一化以后，的确方便管理。

不过台湾解严以后，大部分学校开始设计自己的制服，我记得有的学校每星期有一两天可以让学生穿自己的衣服到校，那么大家的个性也就开始呈现出来了。可是个性刚刚开始出来的时候会有一点乱，大家觉得不习惯，因为有一点芜杂、不整齐。我们注意一下，整齐不见得一定是美，服装的美学里面，我还是强调每一个人穿出自己的品位跟个性，它和整齐是不一样的。

我有一些朋友喜欢打球，你会觉得他穿上球装特别好看，因为经过运动以后，他的身体跟打球衣服之间的关系特别地美，里面有一种活力，我会觉得比他穿起西装打起领带要好看多了。

这就是我要谈到的，服装其实包含了一个人自己的个性在里面。还有一些女性朋友很细腻优雅，穿着经过剪裁的薄纱服装，走起路来很飘逸，好似风微微荡漾的感觉，我就会忍不住地看着，觉得真悦目。

但是我还是要强调，不论是穿运动服或薄纱衣，一个人要有自己身体的个性去适合这些服装。如果今天调换过来，一个动作非常细腻优雅的人穿上运动服，可能会有一点怪异；或者动作很粗大的人忽然穿起薄纱的小礼服，你也会觉得不对劲。所以这里面都有我要谈到的基本观念，其实在于自己对自己的了解，不是随便花钱去买一个不适合的东西放在自己的身上，还是跟思考、创意有关系。我们既要了解自己的身体，也该了解自己的个性，所以服装最能够反映从生理到心理的全部过程。

服装的色彩也有类似的情况。我们会看到某些人很适合穿黑色，流露一种古典和典雅。有些人爱穿明度比较高的颜色，譬如粉红或者浅黄，看起来就很明亮，个性里有一种喜悦感。或者说在某些场合，你会觉得大家都呈现比较沉着的颜色，这些其实都跟个性有关。所以服装的美学事实上非常非常的复杂，其中涵括到质感、色彩，以及造型，跟我们的视觉、触觉都会发生关联。那么我觉得每一天自己整装的时候，都可以重新问自己："我今天要到哪里去？要见什么样的朋友？要去什么样的场合？这件衣服的造型、质感、色彩适不适合今天的场合？别人看到以后会有什么样的感觉？"

我觉得这样就是思考服装美学的开始，也会让自己觉得穿衣服变成一个比较快乐的事，而不是人云亦云，别人这样做我也这样做。所以我特别强调服装美学里独特的品位、独特的思考性；也希望有一天热带岛屿上的台湾，能够产生独特风格的服装。我们在服装美学上几乎已经全盘皆输，没有自己独特性的风格跟色彩，其实是一件非常遗憾的事。

珍惜
美好物质

当我们谈到衣服的美学时，我要特别强调不管是西方或者东方，纺织品的完成与女性息息相关。尤其在东方，我们知道过去称作“女红”，意思是女性用纺织、编织、刺绣等方式完成与衣服有关的制作品，所以女性在文化最伟大的创造其实是与衣服有关。

这个伟大的传统随着工业革命的来临而式微，我们现在的衣服多半不再是母亲、姐姐、嫂嫂制作的。我记得小时候大半的衣服是母亲与姐姐她们裁剪出来的，毛衣也是她们打的，帽子、手套，都是母亲用毛线织出来的，所以“慈母手中线，游子身上衣”这一句唐代古诗，是有很深的情感在里面，让我们感觉到任何一根线都寄托了人的情感。那件衣服穿在身上，你感觉到的不只是生理上的温暖，我觉得心灵上也是很精致的。

“慈母手中线，游子身上衣”的这个游子，不管流浪到天涯海角，走到任何地方，他身上所穿的那件衣服是母亲亲手织出来的，他会有牵挂，也有许多怀念，我相信这是我们要谈的生活美学。生活美学是希望所有的朋友在食、衣、住、行当中能够满怀着对物质的感谢，因为这些物质都不是从天上掉下来的。

“慈母手中线，游子身上衣”，是对衣服这项物质一个有关人情的怀念。同时我们也知道当小时候我们在吃饭时，母亲总是再三强调：“不要剩一大堆饭不吃！”她会跟你说：“谁知盘中餐，粒粒皆辛苦。”一粒米一粒麦是这么多的农民在很辛苦的状况下耕种出来的，所以要我们对这样的事物有一个珍惜、有一种感谢。由此可见古代很多文学都一再提醒我们如何知福，如何惜福。

我想当我们在谈生活美学时，还是需要回到这个原点，希望所有的朋友能够对生活周遭看起来不太重要的一些小事，重新赋予更多更多的关心。

小小的饭粒掉在桌子上，也许可以轻易地用抹布擦掉；但也许你会觉得这饭粒是一粒种子，提供出它的生命来变成我们的食物，我们对这颗饭粒就会有不同的感觉。比较现代化的城市已经有垃圾分类的观念，比如说台北市已经将厨余分开处理了。传统社会里大家的经济条件不是这么富有，很珍惜剩余物质；曾几何时，可能现在厨余已太多了，我相信今天很多人家里剩下的菜饭可能比吃下去的还要多，也就变成蛮大量的浪费，这种浪费其实损害了人对于物质的一种珍惜。

我会觉得在父母的那一代，他们总是在教育我们说，“谁知盘中餐，粒粒皆辛苦”，所以我们一直有一种很珍惜物质的感觉。到了另外一个世代，当大人没有做这样提醒的时候，你会觉得他们对于物质只是一种糟蹋，而这种糟蹋其实产生出整个人类生产消费当中恶性的循环。

今天很多人提到环保，我想这其中不只是保护环境而已，我们应该明了所使用的物质跟我们之间的关系，大量地耗费物质并不会使我们快乐，可是如果手上握着一些小小物质，感觉到那个物质的快乐，像是抚摸那一件用纯棉做出来的衬衫，然后自己把它洗干净后用熨斗烫平的过程，我觉得是一种非常大的快乐。这才是环保的概念，回到一种对物质美的珍惜程序。

美不是“价格”

我们总是把美的事物从生活里面提出来做一些思考，任何一个物质经过了思考，就会产生不同的情感。

像唐诗“慈母手中线，游子身上衣”，我相信也许母亲健在的朋友，大概不会觉得她为你织了一件衣服，你穿在身上会有多么天长地久人情上感动的力量。可是如果有一位朋友每年冬天他老穿着一件看起来有点陈旧的毛衣，你可能会觉得奇怪，还跟他建议说现在毛衣很便宜，为什么不去换一件新的，好几年都在穿这件毛衣。你会发现在大众场合这个人有点腼腆，他也不太好意思讲；也许他会悄悄地告诉你："有些情况你不了解，其实这件衣服是过世的母亲织给我的。"

那么这个时候你心里面会悚然一惊，你会感觉到他到任何地方去买再昂贵的毛衣，都比不上这件毛衣的情感。

所以我常常会感觉到美并不是价格，人世间最美的东西可能是母爱，可能是爱情，也可能是友谊。那么这些情爱跟友谊编织进一件衣服里面时，我相信价格已经无法衡量了。

工业时代以后我们很少自己动手去做东西，有时候我会建议一些朋友在情人节时为所爱的人织一条围巾，或者做一个衣服上的小配件，等等。这些东西不难，可是意义是不一样的。

今天我们常常看到商业广告会夸张地表示："我爱我的太太，所以我买了一个多么大的钻戒给她！"这样的广告所强调的，其实应该不只是这个钻戒本身的昂贵价格，而是有个人在关心那位妻子。

最近跟朋友学习金属工艺。

一个下午的时间，他教我将一片 925 白银用碾片机压扁压平，变成我要的样子。之后我利用砂纸的质感压在银片上，让银片出现非常漂亮的纹理。我量好一位朋友手指的戒围，慢慢用锤子敲打，把银片两端密合起来，然后放一点点焊接的金属在接缝处，用焊枪接合起来。再经过染色、抛光及打洞的过程，我竟然能在一个下午做出一个很漂亮的戒指，当我把这个戒指送给朋友时，他很感动，因为他知道这个戒指在世界上任何一家店都买不到。

在这里我要强调的是，很多衣服饰品都被商业标示成昂贵的东西，可是世界上没有任何东西比得上人心，其实人心才是最宝贵的。

有位朋友手上的戒指毫不起眼，甚至因为年代久了有点乌乌黑黑的感觉。他跟我说这是他们的结婚戒指。他刚刚从台湾东部到台北来时租了一个小小房子，房子太小，连张新婚的大床都摆不下，新婚的晚上夫妻俩还各自睡双层床。他一面抚摸着那个戒指，一面跟我讲着当年的故事。我这个朋友现在已经是一个大企业家，买得起非常非常昂贵的戒指，可是我知道他为什么一直还将那不起眼的戒指戴在手指上，因为有他的深刻怀念在里面。

我们现在面临两难的局面，就是所有的消费经济行为当中，商业不断刺激着我们：广告说当季的衣服要出清了；才 3 月就看到春装的消息；换季时就会想有几个品牌会打折，要去抢购一番……我相信这当然是一种快乐，也很理解这种快乐。

可是我也跟朋友提到：这是一个矛盾！

今天我们是有能力可以不断换购衣服，可是如果我们不换掉衣服，用得更久些——我跟朋友说有件衣服穿十年了，我可以把它保存得这么好，因为觉得洗衣机洗得太粗糙。我选择一种最好的洗衣精去浸泡它，不伤到纤维，我用手搓洗它时也很温柔，甚至在晾晒时不用吊挂的方式，以免拉扯或变形，所以必须铺在平面上晒干；晒干后有一些皱折，我用很细致的方法把它烫平。

我讲的是一件衣服十年来跟我的情感，因为我善待一个物质以后，它跟我身体产生很多记忆，所以我会很珍惜这种记忆。这样的一个记忆可以包括衣服跟我皮肤的感觉，那双鞋子跟我的脚走路形状产生的感觉，或者一顶帽子戴久之后，好像慢慢变成个朋友的关系了。我称这个感觉为服装的体温，去感觉一下服装的体温，我相信是衣服美学一个非常不同的开始。

我们的民族服装？

在巴黎或纽约上课或参加国际化的活动时，常常会接到邀请函，上面特别注明："参加来宾请穿着民族服装。"

记得第一次收到这类邀请函时，我愣了一下，其实有点茫然。我问我自己，我们的民族服装到底是什么？我不知道大家跟我是不是有相同的疑问。这样的邀请函好像在忽然提醒我们，平常穿衣服时好像只在意它们是否御寒或者好不好看，可是衣服的背后其实有一个文化美学，这个文化美学从何而来？

全世界的人现在在日常生活当中，服饰大概都越来越接近，也许一件衬衫配上一条牛仔裤，这样的服装其实有一点国际化，可是国际化就是民族文化及民族个性的丧失。所以大家又会有一种遗憾，觉得不应该轻易地丢掉民族个性。

民族性是在非常长久的历史当中慢慢演变出来的，民族服装可能已有一千多年的历史。

我在一次活动中观察一位日本的女性朋友，她平常穿着衬衫、牛仔裤时是一个样子，可是为了配合活动穿起她们的民族服装和服的时候，她脸上会忽然透露出一种文化的自信，你会觉得很美，那个美是日本文化里特有的一种“退让”、一种“谦逊”。

穿和服的日本女性常常让你觉得她的身体有一点往内含，和西方女性服装挺胸起来那种美的自信很不一样。日本女性朋友穿着和服的时候，身体、胸部非常明显地往内收，小腿膝盖微微地弯曲，走路时也有一点内八字。这个时候我领悟到衣服是身体姿态美感的代言者，有文化的教养意义在里面。

女性和服最美的部分常常是在领口。和服领口很大，然后你会发现日本女性常常表现出有点害羞的表情，所以头常常低着，你会发现她低着头的时候，从颈、脖子后面一直延伸到和服里面，是最美丽的一根线条。在日本浮世绘版画或导演小津安二郎等的电影画面中，常会看到这样的漂亮身体姿态。还有当她们帮别人倒酒的时候，右手拿着酒壶，她们会用左手轻轻拉着和服的袖子，这样的姿势都跟服装有关。过去东方像韩国、日本、中国的女性服装都有很宽的袖子，所以在工作时她会用左手轻轻地兜住这个袖子，就产生出动作的一个美感。

同样那一个晚上，我还注意到另一位来自印度的女孩子，她穿着的是所谓的“纱丽”。我们知道印度因为天气炎热，就纺织出大概世界上最薄、最吸汗、最轻柔的织品，而且颜色非常的漂亮。我觉得全世界最懂得用颜色的人是印度人，他们知道运用热带花草的美好色彩染印鲜艳的颜色，还穿入很多金线。印度的衣服不太剪裁，直接缠绕身上，感觉到的美是布料原来的美丽。

我还发现印度女性身体最美的部分是腰部，这点让我很惊讶。古希腊美学当中常常强调人身体的腹肌，我们所看到的古希腊雕像中，不只是男性有腹肌，连卢浮宫很有名的维纳斯雕像都有腹肌，因为希腊人很讲究运动。可是，印度在热带地区，人比较慵懒，所以印度最美的女性腹部有一点松软圆润。印度舞蹈或者阿拉伯肚皮舞，如果有腹肌就跳不出震动的感觉，微微有一点胖的腹部才会产生美感。

我希望让大家了解到：每个民族最后非常知道自己身体的美学，需要用什么样的服装来呈现，可是我还是有个疑问：我要穿什么样的民族服装？我的民族服装到底是什么？一直到我参加完那个宴会，这个疑问都没有得到解答。

注意身体比例

我们发现，很多国外的名牌服装，其实是依照自己国人的身体美学设计的。例如意大利人的下身比例长，上身较短，所以他们上面穿一件小马甲，下搭长裤裤装，穿起来真是美得不得了。我曾在意大利名牌店看到日本的女性朋友购买类似的服装，她穿在身上我觉得完全不对劲，因为东、西方的身体比例非常不一样，原本漂亮、帅气的服装穿在这个日本女性朋友的身上，我就觉得我都不敢看了。

生活在我自己的家乡——台湾岛屿，在这个地方长大，其实民族服装是一个非常困扰我的问题。之前的重大庆典有时大家穿着长袍马褂，其实那是清代的服装，可是在辛亥革命以后，好像也延续了清代礼服的习惯，最后变成大典的礼服。现在很多人觉得长袍马褂不应该是我们的礼服，但到底我们的民族服装是什么？这中间可以再做深入的讨论。

我们有少数民族，兰屿的达悟人穿着丁字裤，完全可以呈现出他们身体的美，丁字裤就是他们的美学。可是当然我们知道今天很难将丁字裤订立为礼服，我们很难想象有一天我们的政要穿着丁字裤举行大典，好像蛮尴尬的。还是干脆就穿上西方的服装？其实现在社会上有影响力的企业家或一般政治人物，男性服装早已全盘西化，其中没有任何一点点所谓民族或者本土的意义在里面。

政治人物做出表率

我相信我们还在思考本地民族服装的美学到底该往哪里走，或者可能连起点都还没有开始建立，可是我的确觉得政治人物是需要做出一些表率的。不过政治人物必须先读书、先思考文化，才能为文化、服装找出一条民族的道路。如果刻意为政治为选战去订出一套服装来，其实没有任何意义，因为不会有人去穿上，或者只有在“选举”的时候造成一股热潮，之后就失去了影响力。

我的意思是，一套服装必须在文化上被认同，才会产生长久的影响力。

我很诚恳地希望社会里有影响力的朋友，应该更去深思服装跟我们身体的关系，更去深思如何将服装作为本地文化的符号。比如，织品质料应该是丝吗？还是棉？还是麻？还是毛？

我可能先剔除毛，因为这里很热。我也可能会剔除丝，可能我们的丝织品不见得这么优秀。也许可以考虑棉与麻。形式上可以走朴素的路子，因为民族服装的特点之一，是不能只是少数人所垄断的昂贵衣服，它必须能够量产、能够大众化。所以今天在这里思考民族服装，我反而会用一个比较朴素的角度，可能是一件很简单的衬衫、一条质料简单的裤子，去标示出一种形象，这个形象可能代表出大家很健康……

一个亚热带的岛屿推出我们自己服装的品牌，不走昂贵路线、不挑繁复设计，而是简单、朴素、好用，可是也干净、大方。

为什么特别要提出简单、朴素、大方？因为我看到大部分所谓“上流社会”提出来的服装，其实很少是好看的。有的头上戴一顶奇怪的帽子，身上东一朵花西一朵花，绝对不会好看。

服装美的第一个原则，其实是简单与朴素，大家常会忘记这个原则；一个人把自己弄得像棵圣诞树一样是不会好看的。

在讨论衣服美学的最后阶段，我们特别强调的是：如果暂时还没有找到民族服装特征的时候，至少能够抓住简单、朴素、大方这几个最基本的原则，我相信就绝对不会出错了。我们也看到一些在政治或企业上非常有能力的女性，当在某些场合出现的时候，穿着白衬衫、素色简单套装，其实是大大方方的，也让别人相信她们的干练。

二十世纪二十年代，法国开始出现第一代的女性主管，服装设计师香奈儿就运用男性西服的元素开始设计出女性主管的服装，让女主管出现时有说服力。

服装是一种形象，下一次你在公众场合出现的时候，可以重新思考自己的服装究竟带给别人什么样的印象。

我们特别提过撒切尔夫人，她担任英国首相时服装并没有很多的变化，可是你永远觉得“铁娘子”三个字放在她身上是非常恰当的，因为她办事的果敢、有魄力，都在服装里彰显出来，成为一个符号。所以我会特别呼吁在社会上有影响力的朋友，尤其是女性，可以特别注意一下自己服装和社会角色之间的某些关系，于是“美”反而会在这里彰显出来。

清惠風和暢仰觀
碧相暉照灼雲霞

住之美

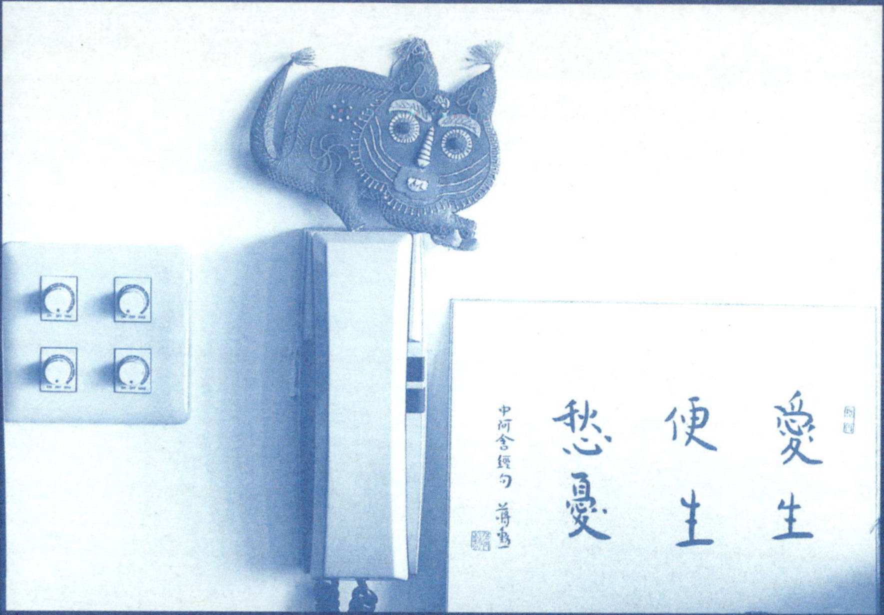
愛生便生愁憂
中阿含經句 蔣勳

爛漫晉宋謳

汝爱我心
我憐汝色
以是因缘

房子并不等于家。

房子是一个硬件，

必须有人去关心、去经营、去布置过，这才叫做家。

有些人只有房子，并没有家。

把“房子”变成“家”

之前谈过每天可以怎么吃东西，怎么穿衣服，能够看待食、衣成为生活里面的美，让自己一天的三餐都能有所品味地去吃，让自己身上每一天穿的衣服、鞋子都能有自己生命的风格在里面，也特别强调这些美，点点滴滴遍布在生活里，才构成生活真正的价值。

这些“美”不需要太昂贵的价值，而是必须要“用心”。

所谓的“用心”，是你关心你自己的食物、你关心你的衣服，它就会有一个风格出来，不必跟别人比较，要有自己的自信。大餐馆里昂贵的料理，不见得比得上路边很认真做出来的一碗担仔面。一件名牌衣裳，也不见得比得上母亲双手织出来的一件毛衣。所以我们特别强调的生活美学，是希望能够从很朴素、很健康的物质基础上，发展出自己的生命风格。接下来除了食、衣以外，我想大家知道人生的四件大事里，我们要进入到非常重要的一环，就是住。

提到住，大概想到的就是房子。你有没有一个房子居住在其中？你可能是单身，可能你也有妻子或丈夫、孩子一起住着。人类历史当中，房子的记忆非常的久远。大家可能听过古代神话里的“有巢氏”。当时人类开始模仿树上的鸟，因为鸟住在鸟巢里，是一个窝，所以他们模仿鸟巢做出一个窝，这一类的人就被称为“有巢氏”。

我们不太能够想象神话传说里讲的有巢氏时代，到底是多么久远，可是大概一万年以前，人类都还是穴居的，住在山洞里面或者很简陋的一种居住环境，等到他们真正懂得去盖一所房子，有一个建筑建造出来，其实是非常非常晚的事情。

譬如说在考古的遗址上去挖掘像夏朝的宫殿、房子，都还非常难找到。商朝、周朝开始有了一些比较完整的城市，居住环境达到了一定规模，所以我们特别希望在谈到住的部分时，能够扩大到人类长久的居住经验，这个居住经验有其历史背景、漫长的文化渊源，同时也跟我们自己今天居住的环境有关。

我们去过一个城市，除了对那一个城市里面料理的记忆，或者那个城市当中一般人穿衣服的记忆以外，很重要的一个记忆，是关于建筑的记忆。我们会说我最近去了巴黎，巴黎好美喔！那个城市真是美极了！当你说巴黎很美，其实你指的基本上是建筑，也就是居住的环境很美。

或是最近去日本的京都，觉得京都的庙宇以及周边一些老的建筑好美。我们又碰到居住的问题了！我们会发现我们对城市最重要的一个观感，常常来自对居住环境的评论。

同样，我相信很多朋友一定跟我一样听过有点不舒服的一句话，就是很多人会说：“台北怎么那么丑。”或者：“台湾的城市怎么那么难看。”我已经不止一次听过这样的话，其实刚刚听到的时候会产生反感，觉得我们的城市真的这么丑吗？其实对于一个城市的美感，如果是说京都很美、巴黎很美，通常是因为那个城市有一个风格。例如日本的京都，你会感觉到所有的街道布置、庙宇寺院，以及每一座建筑的屋檐、色彩、造型，中间有一种协调感，所以在旅游当中，也许只待几天而已，可是这几天连贯下来对整个城市的印象其实并不深入，因为停留的时间并不久，可是至少它有一个门面。

所谓“门面”，就是一种建筑的印象。

可能有一个朋友来我们家，在客厅坐一坐，或者你招待他用餐，在家里餐厅坐一坐，他并不会很深入你的家庭，可是他大概在你家坐一坐吃个饭，一定会出去跟别人说：“这个人家不错喔！摆饰很有自己的风格，也干干净净的，东西都放得很规矩。”这种印象被称为“门面”。就像巴黎，我们在巴黎旅游一段时间后，会觉得城市迷人的地方有塞纳河两边的建筑，它们构成一种风格和统一，甚至横跨在塞纳河桥上的桥梁，都构成了一种风格。

回过来看看台北呢？高雄呢？台南呢？新竹呢？

我们忽然会觉得如果我们是一个外来者，我在这些城市里面待几天，到底得到什么印象？我想，今天譬如说，一个城市推出摩天高楼，说自己拥有全世界最高的楼——这并不是一个印象。

印象是我在几天当中经过的街道、桥梁、建筑，所有加起来的一个风格，这个风格其实没办法说清楚到底是什么。譬如我常常问朋友说："你说巴黎美！巴黎美在哪里？京都美！京都美在哪里？"其实不是很容易说出来的。可是整体印象讲起来这些城市有一种统一的风格，就是我们讲的style。我们前面讲过穿衣服也是如此。你头上的帽子、脚上的鞋子、上衣跟下面的裤子或者裙子，它们中间有互相搭配的关系。

其实美，就是找到其中的一种和谐。所以我们说风格style，这个风格是跟人统一的，同样，城市印象、居住环境，也是在找这个协调性。所以有时候我在想，我居住的城市真的这么难看吗？这么不美吗？我可以带我的朋友说："你看我们的'总统府'，它是日本侵占台湾时代留下来的建筑，这个建筑由森山松之助设计，当时仿照了欧洲某些巴洛克的元素，然后又使用台湾红砖的材料，我觉得它并不是一个很难看的建筑。"

可是问题是，"总统府"和周边其他建筑所形成的关系又是如何？

我们就触碰到了一个在居住环境里最重要的议题：空间的美并非只存在于单栋建筑，而在于建筑跟建筑之间构成的一种协调性。

我们谈到协调性的时候，也许就触碰到了台湾为什么不美的原因，因为它整个大环境当中掺杂了太多外来元素，而这些外来元素本身没有产生出风格的一致性。所以一个外来者在台湾待了一两个礼拜后离开，没有办法感觉到台湾建筑风格上令人感动的力量。情形既然如此，我们就应该去改善居住的环境，创出风格来。

有亲切感的“窝”字

晋朝的大诗人陶渊明有两句诗很有名：

众鸟欣有托，吾亦爱吾庐。

这十个字的意思是树上所有的鸟都活得非常快乐，为什么呢？因为它们在黄昏的时候可以回到窝里去，它们在树上有一个巢；就像我们今天有了一个家，所以会觉得很安全、很快乐。

诗人陶渊明看到树上所有的鸟都有自己的巢、自己的窝，这么快乐地生活着，所以他领悟到我也爱我自己的家。这是陶渊明诗句中非常感人的十个字，就是从大自然、从鸟类的生存、从鸟类有窝有巢来想象到我们自己也像鸟一样，我们的家就是我们的窝。

我蛮喜欢“窝”这个字。现在一般人有时候不太用这个字，可是有时我会跟很亲的朋友说：“哎呀！这么冷的天气，我真希望窝在家里。”

那个“窝”的感觉，你特别会觉得因为它有个亲切感，你所熟悉的空间、你所熟悉的环境；尤其天气冷的冬天，你会觉得有一个被窝，又是“窝”这个字，都让你觉得有安全感；然后你可以窝在那边，读你自己喜欢的书、听你自己喜欢的音乐，那种开心就是你有一个熟悉的环境。

我常常跟很多朋友说，陶渊明讲的“众鸟欣有托，吾亦爱吾庐”，台湾今天应该拿来作为爱自己居住环境的两句很重要的观念，若翻译成白话文，“吾亦爱吾庐”的意思，就是“我爱我的家”。

怎么做到“我爱我的家”？我相信在某一段时期，也许我们会觉得房子是你花钱购买的，或者我租来的一个房子，你会觉得它只是你白天上班、出去玩、见朋友回来窝在那里的一个小地方，所以你也不在意它。如果你不在意它的话，这个房子跟你没有很密切的关系、没有这种情感。

我就发现朋友大概可以分成两类。有一类的朋友他不喜欢你到他家里去，如果有事情要办，他总是说：“我们要不要到附近的哪一间咖啡店碰面？”甚至有时候会说：“我们在哪一个超市的门口谈谈事情，然后你把东西交给我，我把东西交给你就好了。”我会觉得很纳闷，我想：“这个人不就住在附近吗？他为什么不邀请我到他家里坐坐，喝一杯咖啡，然后再谈事情？”

这是一类的朋友，就是你永远对他住的环境不了解、不清楚，你也觉得他不太希望别人去他的家，好像他宁可在外面活动。所以都市里才会出现很多咖啡厅、小茶店，让人可以应酬或交际。

可是事实上有另一类朋友，你会觉得刚认识没多久，他就希望你到他家去，他会很得意地告诉你这个家是怎么怎么布置；不管这个房子是他自己买的，或者正在交贷款，或者租来的，可是你感觉他住在这里不管一年或两年，至少他要把这个家处理到自己喜欢的状态。他会告诉你他从哪里选到的床单，在哪里买的书架，书在书架上如何归类，然后他的音响放在哪里，餐厅是怎样布置的，在哪儿买的餐具。

其实，房子并不等于家，房子是一个硬件，必须有人去关心、去经营、去布置过，这才叫作家。

有些人只有房子，并没有家。

大家也许还记得好莱坞一部电影《E.T.》，当那个外星人发出“Home”这个字的时候非常感人，很多人都被那个发音感动了。我想不管英文里的“Home”或者我们所说的“家”，其实要以“人”作为主体。

可能很多人已经不太了解“家”这个字是如何构成的了：上面有一个屋顶，里面有一头猪。

我们会觉得很有趣，为什么屋顶里面是一头猪？大概在古老的文字学当中，认为家里除了人以外，还会养家畜，像鸡、鸭、鱼、猪等，这样才会像一个家了。家庭会有副业、家里会产生情感，不只人在其中觉得安全、温暖，连动物在这里也觉得安全、温暖。

小时候，我们家里养了很多鸡、鸭、鹅、猪。鸡、鸭、鹅都采放养的形式，白天它们跑出去在河边池塘里觅食，黄昏就自己回来。黄昏时站在门口，会看到鸭子排成一列摇摇摆摆地走回来，那个时候你会感觉到“家”真的是非常温暖的地方。

当时我们住的其实是爸爸的宿舍，院子里种了树，黄昏时鸟都会回到树上。也许今天很多人住在公寓里，对这种家的感觉较陌生，可是譬如你养了一只狗，遛狗之后那只狗很兴奋地要跑回去的地方，就是家。

但家，绝对不等于房子。

一栋大公寓虽然空间很大户数很多，但有些是属于别人的，对你来说没有意义。可是有一个空间，哪怕只有三十坪、十八坪、十坪，可是它是属于你自己的。你的生命要在这里停留一段时期，这个才叫作家。

我特别希望在住的美学里，首先你必须对家有认同感，它才会开始美；如果你觉得它只是一个房子，对你没有太大的意义，不过是花钱买来的一个壳子，迟早你也会离开它，这样就不会产生情感了。所以我希望居住环境中，大家能够先把房子变成家，再开始去营造一个空间的美学。

我们在生活美学里，提到了跟我们息息相关的居住的美学——如何把自己的房子变成一个家，我在这里并没有强调这个房子必须很大，必须很豪华或很昂贵。我在自己所居住的城市多年来认识很多的朋友，也经由这些朋友认识了他们的家，各种不同形式的家。

二十世纪七十年代我从欧洲读完书回来，当时台湾经济刚刚起飞，很多旧房子陆续被拆掉了。那时敦化南北路附近变成新开发很重要的东区，盖起了多座大楼，卖得非常昂贵。

当时这个昂贵的地段有一座古老的建筑叫作“林安泰古厝”，因为此区的开发而面临被拆除的命运。由于很多建筑学者、历史文化学者出面呼吁，最后“林安泰古厝”被保存下来，但却是整个拆掉以后，重新建在基隆河边。它被迁移了位置，因为它阻挡了这个城市的现代化。

我想这里我们其实碰到一个问题：如果今天在巴黎，有人要发展巴黎最中心区域，就是圣母院所在的位置，塞纳河里面的那个岛，那可是最昂贵的地段。若是拆掉一个老教堂，盖起一座三十层或一百零一层的大楼，那么，大家不是都发了吗？如果这样考虑的话，我相信全巴黎的人，或者全法国的人可能都要出面抗议，因为他们会觉得城市的美观被破坏了。

美到底是什么？我们在这里了解到，巴黎为什么会美？因为城市的记忆被保留下来了，所有过去人生活的遗址、遗迹都未被毁坏掉。

不断清除记忆的城市

这个时候我们开始了解到为什么许多人来到台湾，对台湾城市没有印象，因为我们的城市是一个不断消除记忆的城市，我们所有的房子在七八十年代当中，轻易地被拆除，因为一转手它们就可以变成土地上昂贵的或是建筑上昂贵的一笔收入，所以为了发财、为了土地上的买卖，或者房子上的买卖，其实我们让一个城市变得丑陋了，今天即使要弥补，已经是非常困难的事。

以台北为例子，过去的淡水河是台北的母亲河，这条河流养育了很多人长大。

最早时淡水河行船可以一直上溯到万华。万华，就是艋舺，在平埔族语言中，艋舺就是船的意思。当时万华成为繁华的商业区，但随着后来这条河流被人们丢弃的废物堆积、淤浅，船只能行到延平北路大稻埕这一带，大稻埕于是繁荣起来。慢慢这条河流再度淤浅，迪化街这个地方船也上不来了，大龙峒又变成新的繁荣区。

我们可以看到这一条河流有它的历史、有它的记忆；如果你依序在万华、大稻埕、迪化街、大龙峒找一些老建筑，你可以看到这一个城市居住的历史年轮，其实跟巴黎的塞纳河一样地美。可是曾几何时，我们把整个城市的重心从西区移到了所谓的东区，整个西区是弃养状态，就是这个老母亲已经老了，我们不要她了，丢弃她了。这个城市之所以不美，是因为人的感情消失了。而在东区，一个可以繁荣、富有的城市正被重新营造。

可是我们一再地强调，物质的财富不一定等于美，所以这个岛屿上的城市一个一个变成丑陋的城市，因为这其实是一个薄情的岛屿，它没有过去的记忆，它对过去没有感谢。

我们也才了解到日本的京都为什么美，京都可以把一千年以前接受唐代文化的一个城市整个延续了下来。

大家看到京都像棋盘形式的平面图，就是模仿当时唐代长安城的格局，到今天都没有被破坏掉。那些古老的寺庙，南山、东山重要的文化区，即使在发展现代化的过程当中，都是没有被随便毁损掉的历史记忆。当我的目的地是京都时，我会先搭乘飞机到大阪，大阪的飞机场是一个现代化美丽的飞机场；然后我坐火车到京都，那儿的火车站是一个现代化的火车站，可是这些现代化不影响值得尊敬的古老建筑。

我的意思是，科技的方便让我坐飞机到大阪，之后再坐火车到京都，然后可以看到古老的历史跟文化。可今天如果我们有一个最现代化的机场，接下来要让大家看到台湾的什么？

如果大家来过以后都觉得这个岛屿的城市都不好看，不要再来了，那么建再好的飞机场都没有用。

其实我们希望提醒大家，我们因为富有而糟蹋了自己的城市、自己的居住环境，现在应该如何弥补过来。

在新竹，一个曾经被荒废的古老城门，经过了现代建筑师的重新改造，设计成一个美丽的城门，周边也设立了几处广场，有很多文化活动，这就是新竹人的骄傲，因为在这个城市中，一个曾经被遗弃的风景又重新被重视了。

或者说，许多人在新竹长大，从初中、高中，一直到上班，都在同一间戏院里看电影。但是这老戏院随着岁月没落了，而今天经过文化人的重视，戏院重新被装修保存下来，祖孙三代可以一起感念这间戏院，这是新竹的记忆重新被找回来了。所以我相信今天也许大家觉得台湾的城市还不美，可是开始美起来了，也许从新竹这样规模不大的城市慢慢找回了一些记忆，那么我们的居住环境、生活品质已经在改善中，并非处于绝对消极、绝望的状态。大家现在至少应该停止对美丽古迹的毁损，付出更多的关心将它们保存下来。

人人愿意回家

还是反复地想跟大家念一念陶渊明的诗：

众鸟欣有托，吾亦爱吾庐。

走到大自然里，看到所有的动物都有它们的窝、鸟都有它们的巢，所以也会想到自己是不是有一个温暖的家，一个你愿意回去的家。

有时候你会觉得有的朋友这么忙碌，忙碌到他自己也不愿意回到那个家，他当然对这样的一所房子不会产生情感。所以我们一再强调食、衣、住、行，真正的基础其实是在家的“营造”。即使你是独居，也应设法把家营造好，因为你一定有朋友、有亲戚，你可以邀请他们来家里坐一坐，当大家都爱你的家的时候，你也会爱自己的家。

我自己在很早就领悟了“家的意义”。

二十世纪七十年代我刚回台湾工作的时候，有一个很天真的想法，觉得自己在忠孝东路四段上班，也应该在附近找房子，生活才会方便。那位聘用我的老板很好，他说：“这样好了！你在一楼上班，我二楼刚好空着，你就住在二楼吧！”

我觉得这样太方便了，真是幸运得不得了，居然找到一间房子刚好就在上班地点的楼上。我的老板就将二楼跟一楼打通，设一个旋转梯下来，我每天根本不需要到街上去。下班，就走旋转梯上到二楼；上班，就从旋转梯下来。

可是大概两个礼拜后我开始觉得不对劲，因为我发现我的职场领域跟家的私领域没有办法分开来。我在自己家里可能已经上床在棉被里窝着了，忽然想到刚才杂志内某些部分好像应该修改，棉被一掀我就走旋转梯下来，又开始忙编务，结果弄得公私不分没日没夜。

就在那时我体悟到：家有一个很重要的功能，是让你离开职场，我们在工作上的认真和专心，其实必须要有休息的时候。

我在台湾有很多朋友从事美术工作，他们都在自己家里作画。可是我发现巴黎大部分的画家是将家和画室分开的，因为他们觉得回到家里就不要再去想进行中的作品，其实是比较健康的生活态度。

我特别要强调，过去我们常常觉得居住环境只想一件事就好，就是方便性。

像二十世纪七十年代卖房子的广告很好玩，会不断说服你买下这间房子有多么划算，因为靠近市场、靠近车站、靠近学校、靠近医院，靠近每一个地方……如果再恶意一点地想，最后好像应该靠近殡仪馆，出生到死亡都很方便——当然这是开玩笑的话，我的意思是：一个家到底应该“靠近”什么？

七八十年代卖房子的诉求以方便为主，但情况已经有所转变了，现在很多房屋广告的诉求是：打开窗，你可以看到一片山，或一条河……大家的观念已不同于以往。

像我，就越搬越远。

从开始上班二楼通一楼，后来搬到台北东区近郊坐公车约二十分钟的“翠湖新城”社区，再迁移到我现在已经住了二十多年的地方。

那房子在河边，当时还没有关渡大桥，我坐着渡船过河去买这间房子；我也很高兴每天下班可以坐三分钟的渡船回家，别人说这样不会很不方便吗？我觉得不会。我觉得上完班应该休息的时候，坐一段渡船，跟那个划船的人聊聊天，那是多么开心的事。

这是我对家的解释，家跟职场是有所分别的，你爱这个家，所以你愿意回到这个家。

我观察到现在很多朋友不愿意回家，下了班觉得没有地方可以去，所以也许泡在小酒馆，或去卡拉 OK 唱唱歌都好，就是不要回家。家应该要去经营，尤其结了婚，有配偶、孩子之后，你更应该回家，因为家是一个重要的地方。

如果这个家变成妻子不愿意回来，丈夫也不愿意回来，我想你绝对知道有一天你的孩子也不愿意回家了。

我有很多二十岁左右的学生，很多人会觉得这年纪的孩子整天爱泡在迪斯科或电动玩具店里，不想回家；可是我也知道有的孩子，因为家里有母亲或父亲非常认真地经营着家，他们是愿意回家的。

记得小时候我很愿意回家，因为我母亲永远在那个家里跟我讲很美丽的故事，永远在那边编织很美丽的毛衣，做非常好吃的晚餐——我每次都意外今天的晚餐居然是这等模样。

其实那个年代经济条件不好，并没有山珍海味，可是她可以将面食变化万千，每天回到家里，没有想到妈妈怎么又把面切成不同形状出来。因为她关心这个家，所以这个家里每一个人都愿意回家。所以我相信居住环境的美，第一个是“愿意回家”。愿意回家以后，这个居住环境才会开始好起来。

我还会再深入来谈谈居住的品质，例如我们工作的环境、住家的环境，也包括整个城市的大环境。之前有一段时间大家只顾着弄好自己的家，造成外在公共的环境非常糟糕，现在我们可能也要注意到社区内如何共同经营出一个理想的社区环境，接着城市的公共品质也就会得到改善。相信慢慢地我们的城市会有更多的朋友前来，离开时会留下一句让我们感动的话：“你们的城市真美，我会再回来的。”

我相信有一天我们一定会赢得这句赞扬的话。

居住美学
与人文品位

有一句古老谚语，相信很多朋友都听过，所谓“各人自扫门前雪，休管他人瓦上霜”。

这好像是一个古老的教训，每个人把自己门前的雪扫干净就好了，不要多管他人屋瓦上的霜。如果我们今天不管是生活在大城市或者小市镇，每一个人都各扫各的门前雪，会是什么样的结局呢？

我举一个例子，现在居住环境里很大的一个难题就是垃圾的处理，如果按照这个谚语，我们把垃圾都扫到别人家门口去，只要自己门口干净就好，这个城市会变得十分可怕。所以我相信现在对于居住环境品质的认知，其实包含的不只是自己住家环境的处理而已；但是当然住家环境的处理是一个基础，接着可以将其扩大。

所以在住的这个部分，生活美学希望能够提升个人对自己住家环境的重视，就是你的房子不再只是一栋房子，是一个家，是你愿意回去的地方。里面除了硬件空间以外，有你自己精心选择的家具；这个房子的空间是你特别为自己或者家人安排的，也保有公共沟通的一些地方，这样你的房子就是有人性的空间，而不只是一个硬件。

曾经去过一个有钱人的家，那房子非常非常地大，可能是我住屋的一百倍，可是在那惊人的空间里，却很冷，然后你也觉得住在里面的主人可能不快乐，因为这栋花很多钱买来的豪宅，并没有变成人性的空间，你发现这个空间当中，人跟人不来往，人跟人也不沟通。

因为房子大，每个家人都有自己的房间，里面配备高级的音响跟电视。我问这个朋友："你家怎么没有公共空间，属于大家可以一起吃晚饭的地方？"

他就带我去看那很豪华、吊着水晶灯、餐桌可以坐下二十多人的大餐厅。但是他跟我说没有人会在这个桌子用餐，除非偶尔开个Party。参加 Party 的朋友，也是匆匆来匆匆去。

我觉得他这个家，其实需要一个家人聚在一起的空间，否则家人变成这么冷漠，就算房子再大再昂贵，最后也没有心灵沟通的地方了。

我一再强调，房子变成家，是里面有了人性的温暖，那才叫作"家"，不然它就只是一个房子。一个房子就算非常昂贵，若是里面没有人住进去的温暖，它就失去家的意义，我们也不会爱上它的。

美是幸福跟快乐

也许大家都读过一本书叫作《小王子》，书里面描述过这样一个故事。

一个小孩看见一幢房子很漂亮，回来就跟他爸爸说，那幢房子很漂亮，前面有一个小小的花园，墙上都是藤蔓，7 月的时候会有很多蔷薇花爬满整个窗台上，进屋以后房间里面有什么样的家具，然后人围坐在壁炉前面，火光非常温暖。他叙述了好长好长，跟他父亲讲这幢房子多美多美，然后他父亲很不耐烦地打断他说："你告诉我，这幢房子到底有值多少钱？"

很多人都被《小王子》这本书所感动，因为它对比出大人的价格世界跟孩子的美丽世界。

美并不是价格，你没有办法在美上面标示出它多昂贵，美是无价的。美也是你生命里面的幸福跟快乐，我很难跟你解释我的幸福能卖多少钱，如果幸福可以论两论斤卖的话，就不是幸福了。

我相信家的温暖也是如此，有一天如果现代人的生活已经忙碌、匆忙、冷漠到亲子关系都不怎么亲密了，相信那个时候我们会觉得住进再昂贵的房子，都是巨大的遗憾，因为房子、家，应该是全家人的心灵空间。这是我们谈到住的美学的第一步，可是同时我们也希望有朋友们今天已经经营了一个非常美丽的家，然后有机会邀请朋友来感觉到你们家的温暖，也把这样住的美学推广出去，最后会变成一个社区的精神。

曾经有一些学建筑的朋友，在多年前感受到台湾因为在工业化之后，人际关系越来越冷漠的状况，他们就做了一个尝试。

他们以建筑工作室的名义发函给某个都市某条街上的每个家庭，大意是过一个月就是中秋节,你准备如何度过呢？是跟家人在一起吗？你愿不愿意跟这个社区的人一起过中秋节？

他们设计了活动，到警察局登记，那个晚上把这条街封起来，挂上很多工作室制作的纸灯笼，满桌零食摆在树底下，然后希望大家可以一起来过中秋节，把你自家的月饼、菜带出来，跟你的社区邻居一起来庆祝。

这是一个非常成功的活动，我在现场非常感动，我觉得虽然这件事情在今天台湾或许大家觉得还是很难推行，可是这种情况表示大家已经共同爱上这个居住环境了。也许社区中有独居的老人，原本是落寞地独过中秋，可是活动之后他会觉得整个社会是他的家、整个社区是他的家，这个时候我们的居住美学才会有可能真正地提升、真正地改善。

在生活美学里谈到跟我们息息相关的居住问题，应该如何经营一个有人性空间的家，如何与周遭环境的人产生人与人之间的互动。这样的课题可能已经不是建筑专业人士的职责而已，更包含着每一个使用空间的人，怎么去认识自己跟空间之间的相互关系。

二三十年前台湾的经济刚刚起飞，很多人开始从农村人口变成工业人口，从小市镇转移到比较大的城市居住的时候，城市的建筑是非常兴盛的，我想那个时候的房地产业，从世俗的角度来说大概是好好地捞了一笔。可是这句话也许蛮让人伤心的，因为对讲究居住品质的人来说，我相信土地、房屋都不应该是好好捞一笔的问题。

以前的房屋广告除了诉求方便性之外，也会告诉你说房子的增值率会多高。

我记得那时我搬到一条河的旁边，决定要住下来作为我以后的家、我自己的工作室时，就有朋友说："你这个地方是台北近郊最没有发展的地区，增值率最低，既然房子不容易增值，为何要买下来呢？"

当然朋友是好意规劝，可是我心里的想法是：如果我要经营一个家，我永远要住在这里，那么增值或不增值有何意义？所以我想如果我们买房子时的考量，不是把它当成家，不是要经营出一个人性的空间，只是想有一天我卖掉后可以赚到钱，这样的目的跟动机是完全不同的。

会不会在某一段时期，我们所有的居住环境都被误导到买房子就是为了要增值、要保值，会让这个社会出现这么多丑陋的社区、这么多丑陋的房子，最后连去除都去除不掉。

许多友人到台湾都会说："你们的城市怎么一点风格都没有？"

我想这句话其实让从事美学的人心中有点难过，就是我们的城市是不美的、我们的建筑是不美的。

不知道大家记不记得，早些年台湾很多贩厝的骑楼式建筑，大概三到四楼高。它并没有盖完，水泥顶楼是平的，上面还有四根柱子，连钢筋都露出来，表示说未来还要继续盖上去，所以你会觉得整个城市是没有完成的状态。

这几年稍微好一点，都市规划各方面也开始有了法规的限定，譬如建蔽率。建蔽率就是一个房子跟另外一个房子之间留出适当的空间，建蔽率让我们留有一点点生活空间，人不会被压挤到心灵和生理都出现问题，因为当空间的距离不够时，人与人之间的摩擦会变得很容易，心里的焦虑跟烦躁都随之发生。

所以我们没办法解释为什么当一个社会富有之后，躁郁病人反而多了很多倍，是不是这个居住环境本身根本没有给你好的品质？我们在房子修建之初，没考虑到周边车子流量的问题，没考虑到所有空间跟这个实体之间配置的问题，没考虑到外面的高速公路或马路的噪音该如何隔音的问题，所有视觉跟听觉上的烦躁感，日复一日地累积，最后就要爆发出精神病了。

古人说过“饮鸩止渴”，就是你很渴想要喝水，结果别人给你的是有毒的水。

例如今天我是一个无壳蜗牛，想要草草率率赶快买一间房子。大概在二十世纪七十年代以后，台湾就有很多房子是非常草率地盖起来，大家一定还记得所谓的海砂屋、辐射钢筋，开发商使用了不适合建筑的材料来盖房子，对人体发生许多的危害。房地产业中人性道德如此沦丧，可以为了赚钱把我们的居住环境破坏到这等地步。在这种状况里，我们怎么谈美？怎么让自己觉得一个房子可能会跟你有一生的关系，遑论还想在其中结婚、生子，让下一代继续住下去？

希望安居乐业

这些年来，全世界都呼吁要保护古迹。我觉得不只是台湾，全世界的古迹都说明了一件事：过去人类在盖房子时的心态，是希望这个房子能够维持好几代安居乐业。

像桃园新屋乡范姜家族的百年古厝，你可以看到从渡海到台湾之后，这个家族长时间居住在这间古厝里，所以他们在建筑材料的选择、空间的经营上，都以人做最大的考量，因为他们不是为了卖房子，是为了人、为自己的家族、为自己的后代，打下百年的根基。所以这些房子如果能够保留下来，会是建筑上很好的一课，让我们知道以前人是在什么样的心情下建筑房子，而我们今天的草率、随意，最后对人会产生多么大的伤害。

我想这些部分可能是我们在谈居住品质、居住美学的一些比较深远的意义，也希望很多朋友能够真正开始从自己的家慢慢扩大，开始关心到整个社区、整个社会。

人类各种不同的文明在建筑美学上的表达非常非常地明显。譬如印度的泰姬玛哈陵，代表了印度建筑美学的巅峰。中国的紫禁城、长城或者苏州的园林也都是建筑，都跟周边环境的设计有关。

很多朋友去过日本，我们在京都、奈良，或是大阪可以看到很多座深受唐朝影响的寺庙，呈现出一种高雅和幽静，从中体会到建筑代表一个文化集大成的表现。

我相信很多人去巴黎一定会去拜访圣母院、凡尔赛宫、卢浮宫，不管那些是教堂或宫殿，基本上都是建筑，这些建筑使用什么样的材料？筑架起什么样的结构？建筑出什么样的形式？完成什么样的空间？为什么这些建筑上千年来或者几百年来，人们不断地去学习？因为它们蕴涵累积了非常多人类生活的品质。所以你会羡慕古代的人生活在这样的空间里，他可以有这样美好的生活。

除了教堂、寺庙、宫殿外，也包括对以往民居的研究，像林徽因与梁思成，算是研究民居的最早一代。

我去看过安徽民居，发现明朝、清朝在安徽居住的一般老百姓，竟然已经很注重生活品质了。我去拜访在安徽黄山脚下几个村落，小小几百户人家，一条小河蜿蜒流过。

每户人家每一天要到河边淘米，洗衣服，甚至要在这里刷马桶。我们知道淘米是为了吃饭，刷马桶是清洁排泄物。在那儿，居住的环境有一些共同的约定，例如不能在上游刷马桶，否则下游的人家怎么办？都不能用这个水了！所以在下游不至于污染环境的地方，大家可以清洗马桶；上游水源最清澈，让大家洗米或洗衣服。

我在那个村子里有很大的感动，几百年前一个小小的村落，都是小老百姓，可是他们会订出一项生活品质的公约。再想想看我们今天，社区里车子该如何停，垃圾该如何处理，处处都发生问题，其实最需要的是一份社区的公约，如果社区里没有一份道德公约，法律规定得再严也是没有用的。

我们都听过所谓的“路霸”，有人强占家以外的空间，变成自己的停车位……在这样的状况里，就算城市规划得再好，美感也都被破坏掉，因为大家缺少了共同认知的道德感。谈到居住环境的品质，今天我们最大的难题，也许就是在这么小小的岛屿上拥挤了这么多的人口，个人空间跟公共空间很难做出明显的区隔。

可是我想去过日本的朋友，绝对跟我会有同感：日本也是一个非常拥挤的地方，东京绝对不会比我们的城市来得空旷，但我会被日本人的守法跟道德性所感动，就像他们排队的秩序，以及每一个人遵守自己的空间跟他人空间的关系，那秩序是什么？秩序就是你的尊重。

有时候我们会发现，居住空间本身是难度很高的教养练习。

日本的居住空间往往比台湾还要小得多。我到日本友人家里，发现他们一家几口人住的空间比台湾小很多，可是干干净净。有时候他们的院子小到只有一米见方，可是他会懂得在地上铺着白石头、种一支竹子，回家时看到那一枝竹子映照在白粉墙上面，完全像一张水墨画般，非常地美。

当时我就联想到古老中国的建筑空间里其实有类似的手法，像苏州园林，经常在白粉墙前种一支竹子，称为“以竹为画，素壁为纸”。朴素的墙壁当纸，以竹子作画，竹影子打在墙上就是一幅画，不必另外挂画了，这些都是营造居住环境品质跟空间的方法之一。

我会希望自己开始重视住家环境后，就不要只是各扫各的门前雪，我们也要开始去帮助清扫别人家门前的雪，这个社区才会好起来。

我曾经居住在一个大学的宿舍里，即使是那样高级教育品质的区域，未必能够解决居住品质的教养。常常有人晚上偷偷把垃圾丢到公共空间里；在一个孩子玩耍的小三角空间，堆满了垃圾。

可是，那时候就看到一位老太太每天早上在扫校园，她是某一位教授的眷属，年纪已经很大，满头白发。我就去跟她聊天，说：“你帮大家扫地喔！”她说：“我不是帮大家扫地，我最近在练书法，就用扫把写颜真卿的《大唐中兴颂》。我把马路当作一张纸，扫把当成毛笔，我每天在这里写颜真卿的字，在练功哪！”

我听了很感动，她明明是在帮大家处理校园里的脏东西，却会用开心的方式说：“我在练功。”

我相信这是非常不同的教养。

教养有时候是一种人性的反省，就是你活在这样的空间里，愿不愿意将这个空间处理好，让自己跟别人都感觉到快乐，并且也影响到周边的人。

后来大学里一些年轻学生也认识了这位老太太，开始跟着她一起扫地，每个学生都说：“我们跟老太太在学书法。”

这是很有趣的一个故事，其中让我看到人性最美的部分。后来这个校园的角落，至少在他们每天“写书法”的这个角落，你会觉得很干净，不再有乱丢的垃圾。

这是人性！你走过一个干净的地方，觉得地上这么干净，就不敢乱丢东西；可是如果是肮脏的地方，大家心想本来就这么脏了，再丢也无所谓吧！可是，我们能不能扮演一个把东西捡起来的人，而不是丢下去的人？如果地上已经有九十九张纸屑了，我捡起来一张，就剩下九十八张——但如果我再丢下一张，就变成一百张了。我觉得维护环境品质最重要的，其实应该回头问自己，在这个环境里我究竟扮演什么角色？我能不能再多一点对环境的关心，使周边的品质更加改善？让我们每一个人对自己多做一点提醒吧！

让你感动的建筑

每一位朋友不管居住在大城市或者一个小的市镇，散步的时候，不妨试看看你能不能在周边环境里，找出一栋让你感动的建筑。我说的建筑，可能是民居，可能是教堂、庙宇或学校。如果有这样的建筑，你会觉得散步时绕来绕去很想走过它，因为那样一个环境是让你快乐的。

记得小时候上课，我会特别绕远经过一座很漂亮的老庙宇。我觉得那座庙顶有很多彩瓷镶成的龙跟凤，还有吕布戏貂蝉这类交趾陶雕塑，装饰得很漂亮。

走进中庭，几盆优雅的兰花盛开着。也会看到一位可能脸上有点忧愁的老太太在求神问卜，我就在想是不是她家里面孩子生病了，或者孩子功课不好，她来这里求心灵上的安静。

虽然我经过这座庙宇再到学校是绕远路，可是我会觉得那一天对我来说会比较安心。到现在我已经搬离那儿很远了，有时候我会特别坐一个小时的车去探望我童年常常经过的这座庙。这座庙，我觉得它教我长大，教我什么是人世间的关怀，教我什么是爱跟恨、是跟非，它让我知道人活在世间不会随便动摇的，就是信仰。

人在外也是一样。

我就读的巴黎大学离最有名的圣母院也有一段距离，可是不管上课前上课后，我就会特别绕道过去看看那座距离我们快一千年的钟楼。因为这个钟楼，文豪雨果写下了《巴黎圣母院》，很多的小说和画作都跟它有关。对我来说，这样的建筑已经不属于物质面，而是一页历史、一个回忆、一种文化，是法兰西这个民族整个精神上的美集大成的表现。

我也记得每一个礼拜天，大概在下午四点四十五分，我会不知不觉绕进圣母院，因为五点整钟声会响起来，古老的管风琴开始演奏巴赫的音乐……这些都是我在巴黎居住时的众多回忆。

不知道大家会不会觉得这些记忆，其实来自居住环境，里面包含的不只是自己的房子，而是整个大都市空间里非常非常多的人文品质。

现在很多父母处心积虑想把孩子送进最好的学校，觉得有些学校升学率高，老师认真，同学也都是来自比较好的家庭，于是出现了很多间明星学校。我相信这是无可厚非的，如果我有孩子，也会做同样的事。

可是不要忘记：学校只是孩子成长阶段的一小部分；在家里，你给孩子什么样的居住环境跟品质？他从家里到学校所有走过的道路、看到的广告、看到的商店，都构成居住环境的品质。这是为什么我刚刚提到小学时附近一座庙宇，给了我很多的影响；我到欧洲读书的时候，巴黎圣母院也给了我很多的教养。我称这些教养为信仰，因为人类的信仰常常会表现在建筑上，不管东方的寺庙、西方的教堂，都是一个信仰的空间。

我觉得当社会里信仰的空间慢慢失去以后，大家就找不到心灵的重心了。

所以你会感觉到也许心灵的重心今天被别的东西取代了，可能是一座商业大楼，可能是一间超级市场或百货公司，大家更崇拜的是对物质、而不是对精神跟心灵的信仰，这个时候人们可能会迷失在大卖场当中。

我们听过在一个大卖场里面，有个孩子躲在其中吃吃睡睡好些天，竟然没有大人管他。当我读到这个消息，我觉得这不只是他父母的责任，整个社会都要负责，我们怎么会让下一代迷失在大卖场当中？这个社会的心灵空间，到底出了什么问题？如何才能重新寻找回来？所以我才认为大家应该跟周边环境建立更密切的关系。

如果我们居住在一个大家都关心的社区环境当中，我相信人性的教养是比较多的。小时候有一次放学回家，我按门铃却未见到母亲来开门。通常我回家时，妈妈一定做好中饭在等我的，当时我觉得很讶异。

这时隔壁一位邻居阿姨就过来跟我说："你妈妈今天不舒服，我叫她到医院检查血压去了。她大概没有多久就会回来，你先到我家跟我的孩子一起吃饭。"

我很怀念这件事，我觉得我童年时候，台湾是有社区文化的。

我们都记得在七八十年代，台湾经济起飞以后出现了"钥匙儿童"：因为爸爸妈妈都忙着上班，放学回家无人应门，就为孩子打好大门钥匙挂在他们脖子上，自己开门回家。我想这个时候由于经济起飞，我们的居住环境反而受到了很大的考验跟挑战。孩子身上这把钥匙说明了什么事？说明了这把钥匙要打开的应该是一个家，而不是一间房子。其实一把钥匙，也是一个心灵的钥匙。你给孩子钥匙时可以告诉他，这把钥匙可以让你打开人生里面非常温暖的一些空间，而不是冷冰冰的、父母都不在的空间。

当我们在谈居住品质的时候，是应该回到这样的原点：居住品质，绝对是人性空间的发现，我们应该为社会多营造一些美丽的人性空间。

保存
小镇文化

在生活美学“住”的最后一部分，我希望能够提醒大家不要只是关心自己的房子、自己的家。一个人的生活空间，绝对不应该小到只有二十坪、三十坪，只是自己的家。当你把门推开以后，门外面的世界也都是我们居住的空间。

我特别希望大家能够开始回忆自己去过的小镇、一些小城市小乡村，甚至是大都会，它们到底留给我们什么记忆。

可能很多人去过纽约、伦敦、罗马、东京、上海，我们称作“大都会”。大都会的人口都超过四五百万以上，巴黎、上海可能已经超过一千万人。会有这么多人密集生活在一个城市当中，绝对是工商业发达以后产生的现象。

大家听过一句话吧，所谓“条条大路通罗马”，意思是大概距离现在两千年以前，罗马算是世界上最大的城市，约有一百万人口。为什么条条大路都要通到罗马，当然是要解决这个大城市的交通问题。

罗马最有名的古代建筑之一，就是竞技场，约建于公元1世纪。我一直认为罗马竞技场是人类第一个巨蛋，因为它是圆形建筑，只有圆形建筑才可能让不同的人同时从不同的门进出，有效解决建筑物周边的空间环境问题。

大家下次有机会注意一下这座竞技场，不管是去现场或者看图片：建筑物有三层，最底层设计许多的拱门，约有四五十扇。

罗马时代这个竞技场常常有很多活动，譬如说人兽搏斗或角斗士间的竞技，可以容纳的观众人数是多少？我想大家知道也许会蛮惊讶的，可以容纳五万人。大家想想看，今天不管在台北或高雄，恐怕都还没有一个建筑物可以放进五万人。竞技场的底层之所以设计这么多的拱门，是要让五万人分别从四五十个不同的门进出，所以每一扇门平均分担了进出场人数，不会挤在一起。表演活动开始前的十分钟左右，我们叫作“尖峰时间”，大部分人都会在那个时刻进场；如果建筑空间没有考虑到对尖峰时间的控制跟设计的话，同时到达的人士会立刻壅塞在入口处。

最近有一个朋友去勘察一个新盖好的表演场所，设在大楼内的十一楼。我特别强调在十一楼，表示爬楼梯很耗时，大家必须搭乘电梯。可是这个容纳一千人左右的表演场所，只配备一部容量五人的小电梯。所以我的朋友勘察时便计算着，如果晚上七点开演前同时有一千人要进场，大家排队等待电梯上楼的话，电梯要上上下下多少次？但是如果不做计算，所有人就等在那里，无法改善情况。

所以我想这里面就牵涉到居住的空间品质，不只是自己的居家，也包含着我们所生活在这个都市当中，是如何设计规划一切的。刚才提到的大都会，英文所谓 Metropolitan，例如今天的东京，去过的朋友一定对尖峰时间东京地铁的拥挤印象深刻。大都会必须要用空间规划的方法纾解所有的人潮，否则这个城市一定会发生问题。

我觉得高雄和台北人口众多，也可以称作大都会了，可是它们周边所有的设施、都市的规划，有没有配合大都会的设计？

譬如说这两个城市过去在没有地铁的状况下，并未设计出便利快速的大众交通系统，于是人、车根本没有办法移动，塞车苦不堪言。所以现在很多大城市非常重视都市规划，如果没有完善的都市规划，即使个人的家弄得很漂亮，也还是有所缺憾。

在这个单元里，我们第一个强调先把自己的家整理好，你愿意回家，你有一个美好温暖的家。

第二项谈到，你能够从自己的家扩大到对社区的关心，所以社区里面垃圾不会乱倒，有比较好的自然环境，邻里之间互动热络，这才是一个人性的空间。

在最后“住”的这一部分，我们希望观点能够扩大到一个大都市，我们跟这个都市都有息息相关的感情在里面，并非只是把这么多人放在一起，最后大家在这个都市里都变得彼此陌生，甚至彼此憎恨。

我用到“憎恨”这个词，也许有人会觉得话说“重”了一点，可是我的意思是，我发现在很多的大都市里，人跟人是彼此害怕的。

二十世纪七十年代我要去纽约前，朋友一一警告我说，傍晚四五点以后就不要走在街上，因为一定有人会来抢劫。还没到那个城市，我得到的所有信息都已经是恐惧的、害怕的；结果到了纽约以后，走在任何一个地方，看到任何一个人，我都心生防范，担心这个人会不会来抢劫。

虽然这种感觉让我很不舒服，可是我没有办法，因为大都市好像已经构成了人跟人之间一种排斥现象。如果是这样的状况，你即使把家弄好了、社区弄好了，最后都市的居住品质也提升不起来。所以我特别希望在居住环境的品质里，大家能够体认到居住环境最后的目的，是为我们缔造一个美好的城市。

现代化的迷思

我们提到了城市、乡村和小镇，好像过去我们对于这三者之间的区别，分得蛮清楚的。

不知道大家有没有感觉到，这几年在台湾旅行时，会觉得好像乡村失去了乡村的宁静、小镇失去了小镇的素朴。所有的乡村跟小镇都急切地向大都市学习：弄满霓虹灯，盖起一栋一栋的楼房，人口变得很拥挤，最后好像整个岛屿都呈现出无人关心居住品质的现象。

我相信很多朋友去过欧洲、日本。日本有大都会东京，还有大阪，你要玩最热闹的东西、看最现代化的建筑，东京、大阪都有；可是我们不要忘记在东京、大阪的周边，只要大概新干线一个小时车程内，就可以到达幽静的小镇。

我常常跟朋友提说很喜欢大阪，飞机场的建筑有特色又现代化，方便的地铁系统可以立刻载客到京都。我也很喜欢京都，这个古都拥有非常传统、同时是在大化革新时从唐代中国学去的日本文化，所以有时候在中国已经感受不到的唐代美学，反而在日本的京都感觉得到。京都就在大阪的旁边，却可以完全不去学大阪的现代化。

我的意思是，“现代化”三个字，会不会变成我们的迷信？

如果我们的小镇，像美浓或鹿港，都急切地想要现代化，我不知道美浓最后会不会变成另外一个样子？或者鹿港变成另外一个样子？

当我走在京都街头，感受到那些古老的建筑、寺庙被保护得这么好，你可以看到一些木头牌子上用书法写下来的警语，告诉你已经靠近清水寺，清水寺是一个多少年的古迹，所以在几百米以外，你就不许抽烟了……保护古迹可以仔细到这种程度。所以走在京都，永远感觉到一种文化的品质；你也感觉到这个现代化、讲究科技、速度的日本，它有一个稳定的文化力量存在着，是在京都。所以大阪跟京都，相距不到一个小时的火车车程，呈现的却是完全不同的城市风格。

同时我也喜欢从京都再搭车到奈良，大概半小时就到了。奈良是一个更古老的城市，日本圣德太子接受当时中国鉴真和尚传律受戒，就是在奈良，所以奈良还留下了一个非常有名的寺庙，叫作唐招提寺，是当时的鉴真大师带着弟子完成的寺庙，非常幽静。

这样一个小小的镇，有这么美好的古老文化在里面。当我带着川端康成的小说《古都》走在奈良、京都街头的时候，你会感觉到文学丰富的美，因为这些古老的小镇没有被破坏掉。在这样的小镇当中，人们被鼓励着用非常传统的方式生活着。如果去过京都的朋友可能会记得一些花间小路，非常漂亮的小街。

小街上有些店铺，有卖纸雨伞的，旁边是五金的打铁铺，再旁边在卖扇子，然后是卖日本草席挂帘的店，每一间小店都拥有传统的手工艺。若是一家一家逛大概可以看一整天，所以那里现在变成非常重要的观光景点。

可是真正的观光是对文化的认识——我们去了一个小镇、去了一个小镇的老街，然后在这个老街上可以看到传统的生活方式，所以他们用最传统方式做出来的那把纸雨伞，价格可以卖到很贵，下雨时我也不会拿来使用,我会把它放在一个墙角,变成我家里非常美的收藏品。其实我们所看到的，就是传统手工业可以在现代工业社会里继续存在着，并未被淘汰。

我觉得在某一段时间，由于迷信现代化，大家把居住环境里很多品质完好的老东西全部都破坏了。

大概在二十世纪七十年代，有一次我跟朋友去鹿港，看到鹿港家家户户都在盖新房子。当然这反映出经济的富裕，所以一则很为他们高兴，可是也一则以忧，因为你看到原来盖房子的优质老桧木木料被拆掉、被任意地糟蹋，原本的中庭、天井全部被破坏了，然后盖起一些粗糙的三或四层楼的贩厝，其实那是居住环境品质的恶质化。

同时我们也看到每一家开始流行买沙发。当时从西方学来的沙发技术不够好，内里塞的是不好的木料和稻草，价钱却很贵。大家买进了沙发没有地方放，客厅里面就有些东西要丢掉，丢掉的是什么？都是最好的红木、花梨木雕花桌椅、八仙桌，就丢在街上。我一位朋友那时就常常对别人说：“一百块给你，你帮我运回家好不好？”

于是将这些被丢弃的桌椅全部收藏起来。现在看来他是有远见的人，因为古董店这样一张桌子可以卖到十几万，可是当时是这样满街丢出来被糟蹋的。所以如果我们没学习到好的美学品质，就会把没有价值的东西当成有价值的东西，而把有价值的东西全部遗弃。其实谈起这二三十年台湾居住环境的变化，经常会有很大的感慨，当然亡羊补牢，犹未为晚，现在还来得及重新反省大家居住的品质，也可以及时作一些弥补。

仓廪实而知礼义

我们希望台湾经过了经济起飞的狂热期之后，能够从不同角度来重新反省一下。我绝对不是要阻止经济的发展，在社会的发展过程里，如果没有物质上的稳定感安全感，人们其实不太可能发展出“美”的感受。

古人所谓“仓廪实而知礼节”，储存稻谷粮食的仓库装满了以后，你才能教会老百姓什么叫作礼，什么叫作义，这是一个基本的论点。

我也绝对赞成一个社会富有之后才能够美，当然现在感觉到台湾社会里没有太严重的贫穷问题，吃不饱饭、穿不暖衣服的并非多见。所以接下来就是：如果我吃饱饭了，如何让饭吃得更精致而不是乱吃，甚至不合乎营养学的规则。如果衣服蔽体或御寒的功能已经达到了，我怎样学会穿衣服的某些美学，让穿衣这件事情变成更具备文化上优雅的品质，而不见得一定要去买非常昂贵的名牌。

同样，在居住品质上，如果太过强调买房子是为了保值，这样的居所不容易好看，大家只会追求置产的投资行为。我并不是刻意反对房子的增值，如果自己的房子忽然增值了，当然会很高兴；可是在成熟进步的社会，基本上并不鼓励炒作土地和房地产，因为这是全民的损失。

有一些业者可能在经济起飞的过程当中，不法取得土地，赶着盖出很多品质不良的住宅，虽然业者因此发了大财，可是却把整个环境都破坏掉了。前面我们提到的像海砂屋、辐射钢筋等，都让我们直接感觉到居住环境的粗制滥造，受害的也是全民。所以在这里特别希望我们政府负责都市计划的单位，能够为全民从更完善的角度来规划大家的居住品质。

有些朋友可能知道，像美国的波士顿或法国的巴黎市内，有一些租金非常便宜的房子。我有一个朋友住在波士顿哈佛大学附近，算是很好的区域，他租处的房租就被规定不能涨价。

如果在台湾，一间房子的房租不能上涨，这个房东不就要跟政府大肆抗争了？可是为什么先进国家却会制定出不准涨房租的规定？其实政府的目的是要让一些老房子能够维持下来，心存置产发财的人就无法从这些老房子得利了。

在巴黎购屋其实无法真正拥有土地，上海也是如此。

所谓置产是买到房子的使用权，约七十年或八十年。想一想，你买到一间房子，真的可以住上七十年、八十年吗？

任何一间房子，也不过是我们在人世间某一段过程而已，有一天我们迟早会离开的。所以我会觉得如果人们有豁达之心，感觉到所谓的居住只是暂时一段时间而已，那么因为我们暂时的居住导致大环境被破坏，其实是不值得的。

我认为居住的教育比食的教育、衣的教育都来得难，因为牵涉到人跟大环境的认知过程。所以我们提到了日本在大阪、东京这种大都会旁边，还保有很多非常安静、朴素的村落、小镇，让你同时看到不同文化品质里居住的可能。很多住在像纽约、伦敦、巴黎等大都会的居民，假日时一定会离开都市到附近的小镇度假去，盼望能重享小镇里安宁跟朴素的生活。

台湾已经实行周休二日，我们休假时可以寻得的小镇文化，是不是已被破坏了？像台北的周边原来有一些非常美好的小镇，譬如说大家一定会想到的淡水。

淡水原来是一个多么美的小镇，包括它的渔港风格、几间庙宇与街道的关系、具备历史感的红毛城。可是凭良心说，我现在感觉不到淡水这个小镇跟台北的差别，它几乎被这个大都市的怪兽完全吃掉了。

我还记得童年时在淡水的小小街道跑来跑去，在每一条街道都可以看到港口的那种快乐，但现在已找不到这样的乐趣了。当然这几年很多从事建筑、都市规划的朋友，还有社区运动的朋友们正在努力地抢救，可是淡水和以往已经差别太大了。这可能就是一项不正确的都市规划最后所造成的遗憾。

台北的周边像汐止，已经变成了什么样的市镇？再说到金瓜石、平溪、九份这一带都离台北不远，这些小镇是不是在继续被破坏之中？我要提醒大家，如果我们失去了这些小镇，有一天都市这个恶行恶状的怪兽将没有地方可以喘一口气。

所有进步的大都会，周边一定需要存在着许多农村、小市镇，以便纾解都市里的紧张。如果大都会失去这类的纾解功能，迟早会出问题；而且城市居民的心理病症、精神焦虑，也全部都要发作了。

在居住生活美学的最后一部分，特别希望从大家的脑海里唤起一些非常美丽小市镇的回忆。我相信今天你可能住在台北、高雄或是新竹，可是你的童年或者青少年，未必是在这些大都市里度过的。我现在很喜欢碰到一个新朋友时便问他：“你什么时候来台北的？来台北以前你住在哪里？”

这时候你会听到好多小镇的回忆：美浓、鹿港、苗栗的三义，或者在中部的梧栖、清水……这些地名都是一些小小的市镇，像清水，很好听的名字，更早之前它叫牛骂头……你会觉得这些老地名其实保留住一些古老的记忆，而这些记忆我们都在淡忘中。

可能在经济起飞的过程当中，由于迷信现代化，迷信科技，所有的乡村人口、小镇人口一窝蜂全部涌进了大都市——大都市里的人，其实是另外一种流浪汉。

我跟朋友开玩笑说，回想起来，有时候自己好像在世界各大城市当中流浪，纽约、东京、巴黎、罗马等地跑来跑去；因为大都市其实是一种浮萍性格，你会觉得自己没有根，飘来又飘去。

如果你是台北市的外来人口，可能你今年住三重，明年搬到永和，接下来搬到板桥，然后也许有一天你状况更好一点，可以在东区买到房子，你又搬到东区；可是不管是哪一个区，其实都不长久，也不是一个有根的现象。我觉得这是现代大都会一个共同的问题，人并没有在其中生根，可是如果不生根，就没有办法对这个环境产生很深很深的爱。

从欧洲回来后有一段时间，我非常喜欢跟朋友去美浓，看到家家户户门口挂着客家传统手艺：一种画上花的竹帘，也看到穿着蓝布衣服、优雅的客家老太太们讲话非常有礼貌，我会觉得这是一个有教养的市镇。

这些是在大都市当中人与人发生了陌生、排斥或者防范的现象里所没有的一种状态。所以你会发现小镇里面人人那种美丽、温暖、亲切，好像很容易坐下来吃一碗美浓的粄条，然后跟卖粄条的人就聊起天来，他也会很自信和得意地说："我很认真地做粄条，所以吃起来跟别家不一样。"

这样的人得到职业上的快乐，我觉得台湾正在流失这种快乐，流失人除了赚钱以外、另外一种人性自觉的快乐。卖粄条当然可以维生，可是他还有一种快乐，他的粄条做到很Q，他告诉你他有特别的方法，你吃的时候发出赞赏，他就产生一种职业上的满足感。

我觉得我们正在流失这种满足感，可是这个满足感是从小镇出来的，因为过去的小镇多属手工业时代，比较悠闲、比较不忙。

我一再提醒大家，“忙”这个字是“心死亡”了，心死亡的现象，基本上一定是在快速度的都市里发生，不会发生在小镇。

在日本或者欧洲这些比较先进的国家，都非常重视小镇文化，所以法国最贵的起司、最贵的奶酪、最贵的红酒，都是小镇的产品，送到巴黎时，还引起巴黎人对于精致文化的多样反省。

我在巴黎落脚的蒙马特街一个街口，有三家老店都只卖一种产品，就是法国传统的鹅肝酱。从十七世纪创店到现在，这些店坚持用老方法制作鹅肝酱，价格极贵，可是每天都大排长龙。我想这是我所提到另外一种人性居住品质，就是在这样的居住品质里，你觉得这一条街有了一个稳定的力量，有了一个让你安心的力量。

记得我们在讲到食物的部分，也提到新竹城隍庙口的贡丸，大家去过几次就知道哪一家是最好的，因为粗制滥造的东西在历史当中会被淘汰，精心完成的产品会得到大家的赞扬。

现代化的城市靠什么卖东西？靠广告！我花很多钱打广告，让大家来买我的东西，可是有时候你常常觉得那些广告费贵得离谱，然后羊毛出在羊身上，最后转嫁到消费者身上，可是品质并不见得好。

在一个市镇里，我相信大家心知肚明要买豆腐应该去哪家买、要买贡丸要去哪家买、要买米粉要到哪家买。

我不知道大家有没有感觉到，小镇文化因为有历史，悠久的历史会筛滤出真正的品质。可是在大都市里，好像生意做完就互不相识，所以店家没有这个责任感。现代商业城市当中，品牌须靠广告来打响。小镇的老字号靠口碑口耳相传，所以它有被尊重的人性品质与空间。

我们之所以比较小镇跟都市文化，是希望能够引发大家的注意，也特别期盼执政单位开始保护小镇的文化。

老百姓不一定意识得到小镇的可贵，他们看到的是眼前的利益。所以政府执政单位应该来做制衡，保护小镇文化，否则整个城市都会被毁掉，大自然的环境也被破坏，最后受伤的其实还是全民。进步、成功的执政单位会多做反省，具备人文的教养，不会鼓励老百姓一味短视近利，杀鸡取卵。

行之美

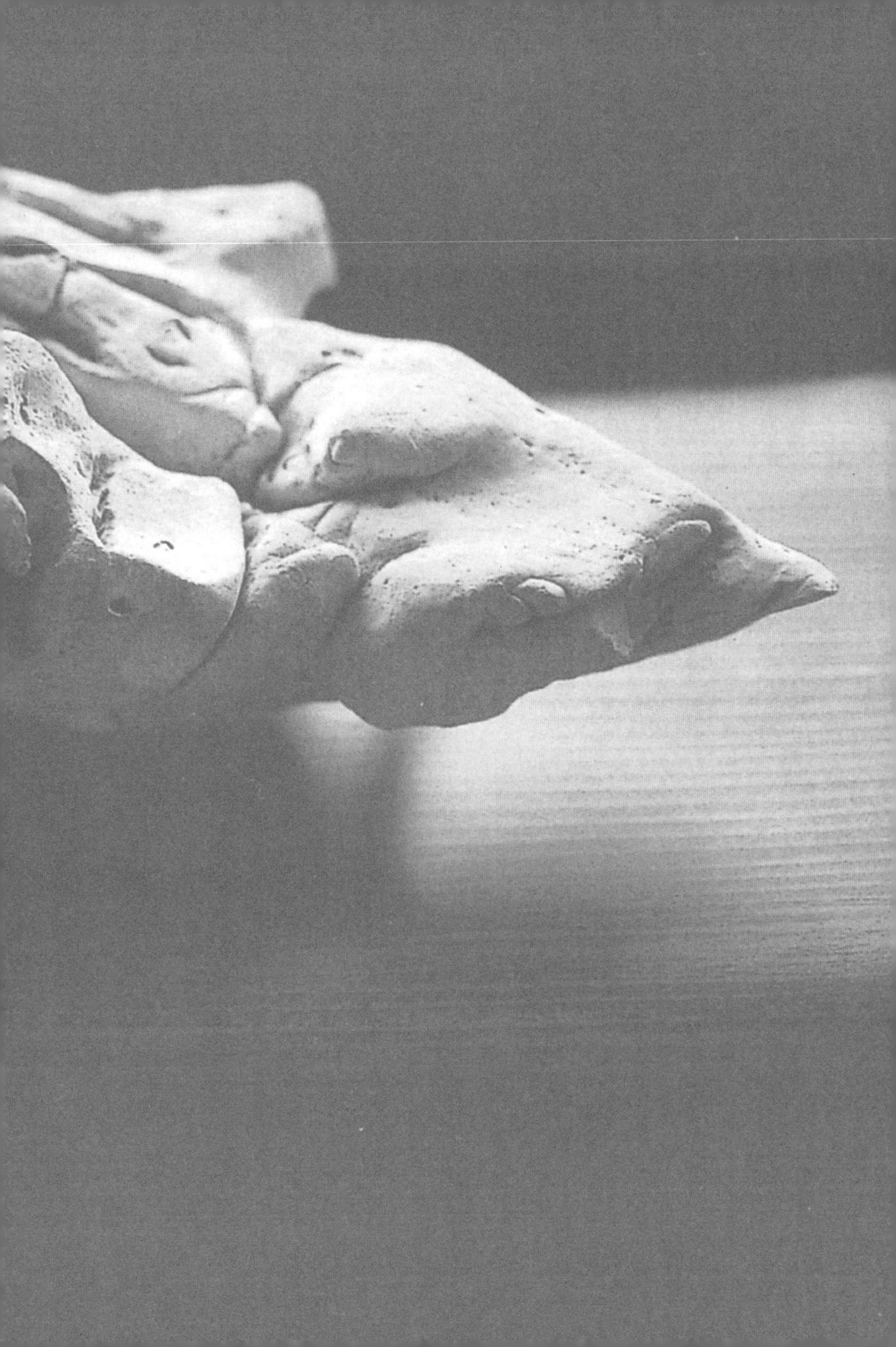

如果从诞生到死亡是一条高速公路，

那么我宁可另辟蹊径。

人生只有一次，

我为何要那么快走完全部的路程，

我觉得可以慢慢地走，

每一段过程、每一分、每一秒，

都可以停下来做一点观看、做一点欣赏。

合乎美学规则的“移动”

在一系列生活美学的讨论里，我们谈过食、衣、住三个部分，现在进入到最后一个阶段，就是关于行的讨论。

我们谈到如何能够在生活里让自己吃得更美一点，不只是用食物喂饱自己而已，同时设法使食物更精致更美好些。衣服除了御寒或者蔽体这些最基本的功能外，也希望对它们的材质、剪裁都能够更了解更讲究，穿在身上产生出个人的生命风格，如此才构成美学的条件。当然除了食跟衣之外，我们更强调的是在居住品质上设计自己的家，增添生活的乐趣。很多的朋友因为草草率率布置居所，或者钉上很多铁窗，好像把自己关在监狱里一样，结果就愈来愈不想回家了。所以我想如果能够把居住的品质改善得更好、更具备美的条件，家的温暖就会产生了。同时还有一点也很重要的，是能够把个人的家庭美学扩大，成为整体的城市美学。

现在有很多朋友都居住在城市里，在其中上班、居住，可是心里却一直会有想逃开的念头，很想到有山有水处去住去度假，好像我们是不得已才留在城市里似的。我想若是大家都想逃开这个城市，这里将永远不会有改善的一天。

我们应该去爱自己的城市，了解我们和城市是息息相关的，了解我们除了将自己的屋内空间安排妥当外，打开自己的家门后所踏入的公共空间，其实就是城市的开始。

有些朋友家里的摆饰非常讲究，拥有名牌家具、漂亮的酒柜书柜，以及高级音响等，可是他们屋外楼梯间属于公共空间的部分，却横七竖八放满鞋子或堆放杂物，这个情形好像也变成台湾公寓居住品质的一个特色。去过欧洲、美国的朋友大概会知道，那里很少有人会把公共空间变成一个脏乱待处理的地方。

身为城市居民的我们，应该发展出公共空间的道德感出来，清楚明白公共空间该如何来使用。现在一些比较进步的社区会安排美丽的花圃及一些运动休闲的空间，于是社区居民不必每天闷在屋子里，下班后还可以带着孩子在庭院当中散散步、走一走，跟邻居聊聊天，建立起互动亲密的邻里关系，我相信这也是城市美学一个新的开始。

在提到了城市之后我们立刻发现，现代化城市中一项很重要的美学教养，其实跟“行”这个主题颇有关联。

我们所居住的这个岛屿人口大量密集到城市中，开车族越来越多，一段时间后好像每个人谈到这些大城市的交通都觉得行不得也，老被塞在路上；还有个难题是停车位难求，大家绕来绕去可能一个小时后还找不到位子，于是生活的品质、心情的焦虑，都因为行的阻碍而发生了。

所以我觉得谈到“行”的部分必须牵连到前面提过的城市美学，也就是说城市美学除了将居住环境的品质提升之外，同时也得规划设计出人在城市当中的移动路线，否则交通部分就会发生阻塞，好像我们的血管被堵住一样。

近代的西方城市在规划城市整体社区时，认为交通部分是非常重要的一环。可是在这里，不知道是不是房地产开发案的许多法规问题，或是政商之间某种不正常的关系，你经常发现一个上千居民的公寓大楼社区，对外联络道路却只是小小一条马路，这种现象就是没有把行的问题考量在整个居住品质当中。而“行”的畅通，绝对是决定城市美学的重要因素之一。

一个城市中如果大家开车塞成一团不能动弹，大概没有办法谈到“美”这件事吧！

人们会因此开始吵架，一点点小擦撞便立刻到车后的行李厢拿出武器来威胁对方。这样的画面在城市中并不少见，也使你觉得大家性格变得暴躁、心情变得焦虑起来，人与人之间开始产生排斥跟仇恨。

有时候我会想：是不是我所居住的城市人口实在太多，才会在行的方面出现这么多不美的现象？可是我们的城市也不过就三四百万人，像东京、纽约、巴黎这些人口一千万以上的都市，行的美学并不见得比我们差。至少在我所熟悉的巴黎，就规划了完善的散步空间和自行车步道，我甚至看过提着公文包踩着滑板去上班的巴黎人，那个画面让我大为惊讶，原来在这个城市中，“行”这件事情不见得只有开车而已。其他城市的发展也许可以当成我们思考未来的参考，也希望台湾的城市将来在行的规划上能够更通畅、更合于美学的规则。

交通工具改变空间感

我们提到了巴黎、纽约、伦敦这些工业革命以后较早发展的大城市，现在的人口大概都在一千万到两千万之间。工业革命以前没有蒸汽机，没有汽车、火车，人类的步行空间范围非常狭小。

我常常提醒朋友，如果你想了解老城市步行空间的格局有多大，看一看台北市的老北门、西门町的西门，还有东门、南门，将这四个城门连起来，就知道老台北城的范围，你会惊讶原来台北市以前这么小。

以前大部分人没有交通工具，出外全靠步行，贵族或有钱人才可能骑马或者驾着牛车，可是牛车的速度也很缓慢。所以在当时，城市的比例跟空间都不会太大。

各位朋友如果去巴黎旅行，会觉得这个城市大得不得了，从中心点坐地铁一两个小时以后还在大巴黎的范围当中。最早的巴黎有多大？大家知道有一条塞纳河，河当中沙洲上的圣母院是著名的观光景点。圣母院所在的岛法文称作 cité，就是英文的 City，岛周边有一圈围墙，这个范围就是最早的巴黎市。你会不会吓一跳，原来最早的巴黎是这么小！可是随着工业革命，这个城市扩大了好几百倍，因为蒸汽机使得交通工具的速度加快，我们整个空间感完全改变了。

大约在 1932 年，巴黎开始有了火车，有一个画派与这种交通工具很有关联，就是大家很熟悉、常常听到的印象派。

印象派中代表性的画家莫奈有一幅作品《圣拉萨火车站》，曾经来台湾展览过，场景就是巴黎圣拉萨火车站内，一个冒着黑烟的火车头向前直冲过来。印象派可说是第一代享受火车这种交通工具的画家，他们觉得火车好美，连闻到火车喷出来的黑烟都觉得很兴奋。我们今天大概很少会有人跑到火车站去闻火车的味道，可是当时他们觉得火车带来了一种快乐，这个快乐就是速度感，让你有空间扩大的感觉。

所以工业革命最早带来交通工具的改变，使得人的心情发生非常大的变化。

再举一个例子，很多朋友大概都知道台湾早期民谣的曲调都非常悲哀怀旧，歌曲调性会有流浪、念家的味道。不过大家也一定听过兰阳平原一首民歌《丢丢铜》，这首曲调中会听到火车的声音，那是因为日本人占据台湾时打通了整个兰阳平原的隧道，设立最早的小火车。当你唱起这首歌的时候，能感觉到火车“七呛七呛”的节奏感，似乎心情也愉快起来。所以交通工具带来行的方便，同时也改变我们的心情，改变我们整个人类在城市当中移动的速度、空间感，跟某一种精神的状况。

但曾几何时，大家没有想到我们原来所歌颂的、莫奈特地入画的交通工具，却可能带来新的麻烦：大量人口开始涌进都市，让城市居民不断暴增。很多朋友可以回想一下，二十世纪七〇年代以前的台北市，总人口可能不到一百万，现在则增加了好多倍。我在台北市常常喜欢问人说：“你是土生土长的台北人吗？”你会发现在这儿土生土长的人很少，大部分是外来人口。

还有一个情况，是交通工具方便以后，我们看到所有交通工具的设计，全部以这个城市的中心点作为起讫点。譬如以巴黎这个首都作为中心点，便设计出一个有趣的蜘蛛网状交通网，不管从法国最西南边的波尔多、最南的马赛，或东南边的亚维农到巴黎都非常方便，因为都有直达车。可是相反，想从西南边的波尔多到正南边的马赛却还需要转车，但这两个城市的距离其实比较近。我的意思是，这样的交通设计使整个首都的人口密集起来。

但是交通方便现在其实也带来很多的问题，所以法国人在反省之后开始重新规划交通网络，譬如在小镇跟小镇之间进行横向的连接，而并不是所有路线都通向巴黎，因为巴黎快负荷不起了。这几年我们看到南部的里昂变成一个新的交通站，计划成为南部的交通网之中心点。我相信这是因为西方在工业革命之后发展得比较早，问题也较早浮现，所以都得到了解决。

我常常觉得本地的工业革命、商业发展都比较晚，可是并未去借镜西方进行早一点的规划和预防，结果今天台湾的都市塞车非常严重。巴黎在二十世纪七〇年代已经有一千两百万人口，可是街上没有塞车的现象，我相信原因之一就是地铁。巴黎地铁已经有一百年的历史，而且已经往地下发展到第五层了，即使是地下他们也有巨大的城市规划。所以我认为“行”的美学，必须要对城市规划有非常宏观的远见，不然就永远在挖马路、修马路，为了拓宽路而打掉人行道、拔掉百年老树。没有百年大计，怎么拓宽道路也是不够的。

需要百年大计

谈到行的美学，我相信很多人都会皱起眉头，大概都感觉到每天开车上下班塞车的焦虑，以及找不到停车位的痛苦。不知道在这样的状况里，如果带着大家一起来回忆人类交通工具的发展，会不会太不切实际？

想想看，最早的古人移动是靠走路，步行本身有节奏和速度，即使再急，步行的速度也加快不了多少，而在缓慢的步行当中，人可以浏览很多事物。慢慢地古人懂得去控制马、牛等动物，移动的速度又加快了很多。

大家知道中国古代有所谓的驿站，就是养快马的地方。传说杨贵妃很喜欢吃荔枝，从产地广东要如何将新鲜的荔枝送到长安城去？就是通过驿站一批一批更换快马维持速度，所以这个美丽的女人在皇宫里享用早餐时，能够吃到带着露水的荔枝。由此可知，唐朝的交通工具速度已经很快了。

还有一种交通工具叫作辇，像武则天很喜欢从长安到河南洛阳去观赏牡丹花，所以常常住在辇上。这是一种大车子，上面有卫浴设备、餐厅等，武则天也常常是在辇上办公的。我想她是一个很爱旅行的人，就算在今天，从陕西的西安到洛阳的距离也蛮远蛮花时间的，可是她常常待在辇上来往于两地之间。

另外有种交通工具可能现在很多朋友不常想到，人类过去经常使用的交通工具就是船，因为我们过去的居住环境常常跟水有关。

法国塞纳河一直到现在还在走船，某些河域还有所谓的水村，就是在那儿大家不是买房子来住，而是买一艘船。有一次，我在淡水河边的八里碰到一对法国夫妇，我跟他们讲法文时他俩吓一大跳，心想怎么会有人跟他们讲法文。我说我也吓一跳，你们怎么会跑到八里来？那对夫妇说他们是建筑师，因为在法国订游艇很贵，台湾的价钱比较便宜，所以他们就跑到台湾来住了半年，自己画设计图，督工做好一艘游艇，完工之后就开着这艘游艇走水路回法国去。

我听了以后觉得像神话一般，可是也忽然想到：我不是住在一个岛屿上吗？岛屿不是四面环海吗？怎么我从来没有很多搭船的经验，顶多是到新店的碧潭划划船而已。

我们的海洋和河流其实可以走船，但为什么我们想到的交通工具都是车子，都是不断开挖马路？为何没有更早开发这个蓝色公路？是不是跟过去的海防有关？是不是我们对海洋根本没有经验？

我好几次拜访希腊，通常人到雅典就上船往爱琴海开去。晚上就睡在船上，会有一些课程提供第二天所拜访小岛的历史背景及神话故事，等到黎明靠岸后我就到岛上游玩。这种环地中海的游船行程，一走就是十来天。

台湾的交通规划为什么没有想到船的部分？我相信我们绝对可以往这个方向发展。我坐过来往于台湾本岛跟澎湖之间的台澎轮，可是一天也就只有一班，它其实可以变成更频繁的交通工具，因为我相信这个行程当中能够包含着交通的美学。

大家会不会觉得在船上看到的景象跟坐火车、开车是不一样的？我看过最美最美的高雄落日是在台澎轮上，三点钟从澎湖上船，进高雄港时正好是黄昏，那时海上最美的晚霞景象我一辈子都忘不掉。

所以我会觉得交通带来的美学常常给人很大的感动，尤其是海岛，其实可以借助交通工具发展出丰富的美学规则出来，也许是步行、骑马、船、车子等，都内含着不同美的感受跟节奏。

老电影里我们看到以前人在码头送别时，会从船上丢下一根纸线和码头牵系着，随着船慢慢离开时那根线就断掉了。电影《泰坦尼克号》就有这样的镜头，离别变成一种美学，一种人跟人告别情感的方式。

我自己经常跟很多朋友提到，1972年我第一次离开台湾的时候，还是从松山机场出发，全家人都来送行，我脖子挂上好几个花环，然后一直拍照,所有的人都哭成一团,就觉得这个人以后再也回不来似的。那时我们也会觉得告别这件事情有一个仪式，好像有很多的舍不得。现在大家可以常常去出行，根本不当一回事，似乎也缺乏一种真正告别的情感。大家一定读过《阳关三叠》这首告别的诗：

渭城朝雨浥轻尘，客舍青青柳色新；
劝君更尽一杯酒，西出阳关无故人。

古代因为告别的过程比较缓慢，很多朋友、夫妻之间的情感，都会在告别时呈现出来,我想这是行的美学留给我们很优美的文学作品。

可是现在事物的速度越来越快了，我们在追求快速度的同时，往往忘掉了保有一种心情。有时候我到日本去，从东京到京都会故意放弃新干线而坐慢车，当火车一站一站停下来，我会觉得每一站的月台和地名，都给我全然不同的感受。这样的经验让我体验到：当可以快，但你可以选择慢的时候，这才是一个行的美学。

有时候我会对朋友说：“既然你平日开车惹了一肚子气，周休二日时你可不可以放弃开车，去走一走路？”

我觉得其实“行”可以改变我们很多的心情，它让你觉得生命并不是从生到死要拼命赶路。

我们为什么要一直赶路？

我们为什么不停下来？

我会跟很多朋友说，我最喜欢的一种古代建筑是亭子，它就是告诉你不要再走了，你“停”下来，因为这里风景很好，你看一看风景吧。所以特别注意一下，速度快，并不是进步的行的美学。

现代欧洲在工业革命之后开始反省，于是设计出多样的人行步道、脚踏车步道出来，反而鼓励大家不要开车，也成为一种新的美学观点。

幸福世代

人类的交通工具显然越来越快了，从最早的步行、到骑马、坐轿子、坐牛车，工业革命以后产生了蒸汽机推动的汽车、火车，一直到现在日常生活中的轮船也好、飞机也好，都可以在非常非常快的速度里，把我们送到想去的地方。于是一年当中，我可以一下飞巴黎、一下飞东京地到处去旅行，觉得自古以来没有一个世代这么幸福，可以在短促的一生当中同时拥有这么多生命的不同经验。所以我认为其实应该感谢科学，是科学给我们带来全新的交通经验、全新的速度感。

可是同时也不要因为交通工具的改变，而盲目地追求速度感、盲目地追求一种空间的改换，最后也可能变得更为茫然或者一无所得。

有时候看到朋友想在假期中规划旅行，这种想法当然无可厚非，因为平常上班忙碌，总希望能借此逃开，转换不同的生活经验。可是我想很多朋友都应该有这样的经验，参加到奇奇怪怪的旅行团，到当地之后各式行程像赶鸭子一样拼命地赶时间；回到家的时候，可能自己都在怀疑到底有没有去过那个城市，因为印象非常淡薄。

我特别举一个例子。二十世纪七〇年代后期我在巴黎读书时打工担任当地的导游，那时台湾经济起飞，开始流行出去旅行。不过当时的欧洲旅行团经常安排一个月玩十八个国家，大家马上可以算得出来，三十天玩十八个国家，每个国家平均待不到两天。

那时我是巴黎的地陪，早上到机场接团，他们可能从荷兰或罗马飞过来，然后我必须在车上很快地做 City Tour，用半天时间介绍巴黎。他们连下车的机会都很少，我讲左边风景，他们的头就看左边；我讲右边，他们的头就看右边。我从后照镜里看到来自故乡的这些人时，其实产生出一种同情，我真的很想仔细地为他们介绍巴黎，可是时间实在太短促了。

到埃菲尔铁塔前，我在车上尽量说明相关历史，到达后让大家下车拍一张照片，五分钟以后就上来，他们就冲下去然后再冲上来。

进到卢浮宫，那里收藏几十万件艺术品，可是我们只能看三件，就是达·芬奇的《蒙娜丽莎》，以及古希腊的《胜利女神像》、《米罗的维纳斯》。这三件艺术品摆放的位置距离很远，所以你就看到一个团体在卢浮宫里面小跑步，到目标物之一赶紧拍一张照片，接着说："走！再看下一个！"

忽然我会觉得这样的旅行、这样的速度感、这样一种所谓对美的"贪婪"……对不起！我用了"贪婪"这个词，因为我觉得好像来不及要看更多、更多东西的时候，其实有点像填鸭的方式，什么都没有消化。

我们当然感谢交通工具，帮助我们可以更丰富地认识这个世界，可是不要忘记，不要变成交通工具的奴隶！

在安排假期时，可以安静下来多做一点思考：我是不是要跟大家一样去凑热闹？

周休二日的时候，你会发现某些城市边缘的景点挤满了人，所有人最后回到家里灰头土脸，也抱怨连连，看到的就是人头，看到的就是垃圾，然后小吃摊都挤得满满的，不但没有放松五天工作下来的疲倦感，反而增加了新的焦虑感。

我会觉得周休二日如果想要“休闲”的话——你一定要注意到：“闲”是一种自足的、充满自我选择性的满足感。有时候我会选择不去远地，就在自己住宅的周边散散步、走一走。有时也到台北市区，慢慢发现最美的台北市可能是在星期日，因为所有的人都跑出城去，我看到一个这么干净悠闲的台北；我可以在仁爱路上、敦化南北路上散散步，看到所有路边的木棉花开得很好、杜鹃花也开得很盛。

这个时候我就会觉得，其实所有的美学都在于自己的心境。如果我们的心境没有办法维持一个比较悠闲的状况，那么衣食住行拥有再多的物质性的改善，也不见得就会带来满足感。所以也祝福很多的朋友，当我们提到“行”的时候，特别注意一下人们如何在拥有最快速交通工具的同时，仍保有自己永远可以缓慢散步的心情，这两种情况其实互不冲突。

我希望台湾拥有更快速的高铁、更快速的飞船、更快捷的交通网；可是同时有一天，我仍然会选择慢慢地走在一个城市中，去欣赏这个城市。因为如果不处于步行的悠闲当中，我将只是匆匆越过这个城市，而没有欣赏到它的美好。

快感≠美感

相信很多朋友对于行的生活美学，可能不像食、衣、住三者容易理解。我们总觉得要吃得更讲究、穿得更讲究、住得更讲究，跟美学的关系好像比较密切些；其实在行的讲究上，所指的主要是维持你自己身体的速度感。

速度感是非常奇妙的事情。从最早的步行到各式交通工具的出现，我们看到人们的速度越来越快，这是我们希望能够在短暂的生命当中，拥有更多的空间或者认识更多事物，这个愿望也是人类文明进步的一个原因。

现在各个先进国家在发展高科技的航天事业，也许不久的未来我们可以到月球或火星上旅行。

我们会发现对于一两百年前的人类而言，到月球或火星可能是一个空洞的梦想，可是现在经由科技带来速度的改变，梦想已经越来越成形了。所以我们必须承认这种速度的改变，是文明伟大的进步。

我们在谈行的美学的时候，其实跟前面食、衣、住的讨论有共同的规则：美是一个自我的选择。

如果你面前一大堆食物，你无所选择地吃到饱，就绝对谈不上所谓的美学品位，看到一个人大吃大喝贪婪的状况，我们只会嘲笑而不会赞美。同样在衣的部分，一个人有能力买到所有昂贵的名牌全堆在自己身上、挂满所有珠宝或者各种配件，这样未必是美的；我们相信现在有这么多珠宝、这么多服装让你选择，而你最后选择很适合自己风格、朴素端庄的服装，可能才是美。

所以我们一再强调，美是一种选择，甚至是一种放弃，而不是贪婪。

当许多东西在你面前时，你要有一种教养，知道自己应该选择其中的哪几项就好了。

住也是一样，我们看到很多人的家具、摆饰非常昂贵，堆到家里几乎没有空间。其实可能少，才会变成一种美。

我们在谈住的部分时曾经强调过，居住品质最重要的一个部分是空间，所谓空，就是不塞满；因为不塞满，你才有活动空间，反省跟思考的生活品质也才可能会出现。所以在食、衣、住当中，我们都强调的不是“多”，可能是“少”。

这样的原则落实在行的品质的时候，我们也会跟朋友强调：现在你拥有高科技给你的各种速度的快感，“快感”这两个字其实是双关语，一方面是很快的感觉，一方面是很爽。可是我们知道“爽”这个字跟美常常是对立的，感官上爽的时候，常常会不美。我们在食、衣、住三方面很爽，很可能里面有一点物质泛滥的元素。行也是如此，像年轻的朋友会对速度产生狂热，在笔直的马路上飙车，飙车得到的快乐，我们称为快感。

我们也一再强调，近代的美学总是提醒我们快感并不等于美感，为什么？因为快感是感官刺激，这个快感可以有刹那的爽，可是结束之后往往会产生落寞跟空虚的感觉，那种空虚会变成无法弥补的黑洞。

心灵上真正的荒凉来自太多的快感，就是你不断地在口味上刺激自己吃到饱、在衣物上满足，或者在居住条件上买更昂贵的房子，不断地投资赚钱，其实这种爽的感觉未必是美感，而是快感。

所以在康德的美学当中，最重要的一部分是不断地去分别“快感”跟“美感”的不同，提醒我们快感无论如何刺激、感官如何刺激，都不等于美感，也不会产生美感的效果。那么美感是什么？

有时候，美感，反而是在大家都快的时候，你慢下来了。人的文明发展真的很奇妙，一方面在追求越来越快，可是另一方面又会逆势地反省，认为是否可以不要那么快。所以我相信这是两面的情况，就是我今天可以吃到很多的东西，可是我最后的选择是吃得很少，这时美的经验才会产生，因为我们是自己的主人，而非物质的奴隶。

如果拥有一部车，最后自己变成车子的奴隶，每次开车都是一肚子气、没有停车位、永远塞车、一出去就跟别人擦撞，我想这样你也许可以反省一下：我是不是一定要追求速度的快？是不是有可能至少一个礼拜有两天，在周休二日没有那么忙时，我可以选择骑脚踏车或步行，我不要这么快，我相信这就是一个行的品质。

在西方，最早工业革命的国家都开始对行的品质做相当多的反省，我觉得台湾这个岛屿下一步最急切要做的，也是这方面美学的思考，就是我们不一定要永远往前冲，可能可以稍微慢一点点——缓慢也许是美学品质建立的开始。

调整身体的速度感

大家不妨给自己一个机会，在不那么匆匆忙忙要赶去上班或者上学的时候，去体会不同的速度感，譬如说步行、譬如说骑脚踏车。有时候觉得在我自己所居住的城市里提到步行或骑脚踏车，好像变成非常奢侈的事情，是不是在二十世纪七〇年代工商业发达以后，这个城市所有的人都冲！冲！冲！忘记其实慢下来，可能是另外一种品质。

可是当今天要慢下来的时候，你遭遇到两种困难：一个困难是在外在客观交通的设计上，没有提供慢下来的可能。有时候你走在街上想慢下来都不行，因为后面的人会推着你走。

记得在二十世纪七〇年代去纽约时，当时它是全世界最大的城市。走在曼哈顿那个区域，你就会觉得根本没有办法停下脚步来，因为后面每一个人走路都有一个速度跟节奏，都是在往前冲的。曾几何时，我回到台湾发现台湾也变成如此，甚至在西方很多社会开始反省尝试渐渐慢下来的时候，台湾还在继续往前冲。所以我提到第一个慢下来的困难，是外在的整个设计出了问题。

第二个困难是我们自己心理的节奏。我常常会觉得一个朋友经过五天繁忙的上班，在一个交通设计环道不太好的社会跟都市当中，他一直在赶路、挤在车队当中、生命一直耗在塞车里，那种烦躁、心情上的焦虑感你绝对可以了解。等到周休二日了，他停不下来，可能会急着一直跟自己的配偶、孩子商量说："我们要到哪里去？我们今天可不可以出去玩？"

可是玩也玩得很匆忙，然后可能又是一肚子气。在这个时候我就会觉得，也许"悠闲"两个字变成非常值得我们去重新反省的一个美学品质。

我们不要忘记“悠闲”这两个汉字，“悠”的底下是指心灵的状况、是一个跟自己心灵的对话过程。《诗经》说“悠悠我心”，意思是你走出去的时候，感觉到心灵跟所有外在的空间是有感觉的，如果速度快到对外在环境没有感觉，就不是“悠悠我心”了。“悠悠”也有慢下来的意思，因为慢，你才会有心灵的感受。

“閒”（闲）这个字更明显，你有多久没有靠在门框上看月亮了？这个字就是“门”中间一个月亮。

或者另外一种写法，“门”当中有一个木，也是“闲”，你多久没有在你家门口的那棵大树底下靠着、走一走路、乘凉，觉得树荫很美？

“悠闲”两个字都在提醒我们，不一定要跑得很远，可能在你家门口就能有所感受，但重要的是心境上的悠闲。悠闲，是先把自己心灵上的急躁感、焦虑感，能够转换成比较缓慢的节奏。

这两点困难，一个是外在客观的环境、一个是内在心灵的节奏，当然必须同步配合才能解决。所以我们也发现西方在最近的二三十年，一直在做工业革命以后城市速度的反省。阿姆斯特丹、巴黎、伦敦这些城市开始慢慢意识到由于职场的要求、高科技的发展，都市人一直在追求速度的快速感。结果大家精神上的疾病越来越多：焦虑症、忧郁症、失眠症，大家过去很少听到各种奇奇怪怪精神上的疾病开始出现了。那种生命易怒、暴躁、一触即发的紧张，都可能来自日常生活当中不断加快的速度，最后失去了平衡的能力跟缓慢下来的能力。

我想大家都有经验，如果在开车当中速度快到某一个程度再忽然紧急刹车的话，就一定要出事的，因为速度本身的缓慢也要有个过程。

我坐朋友的车出去，常会观察他们如何控制刹车。

有些人个性非常稳定，你在不知不觉时车就停下来了，他远远看到可能绿灯要变黄灯、黄灯要变红灯的时候，脚已经在稳稳地准备踩下刹车；你会觉得这样的朋友给你信任感，也相信他在职场上处理事情的时候，也是稳定的。

可是有些朋友看到了黄灯，他脑海里就下一个指令："我赶快冲！"但到时候冲不过去就来一个紧急刹车，车上的人身体就整个往前面带，这类朋友若要开车载我，后来我就敬谢不敏。我相信这里面存在着信任，我希望把自己交付给一个个性稳定的人，而不是在一部常常会失控的车子上。

我想大家可以了解到我所谈的速度，重点不在于快跟慢，而是自己能够百分之百掌控的稳定感，不是失控状态。如果不是自己在控制速度，而是被速度带着走，最后你就会失控。

现在阿姆斯特丹、巴黎、伦敦、东京，陆续出现很多社区不准汽车开入，被称作“人行步道区”，台湾一些比较进步的城市也开始设置了人行步道区。人行步道区中特别鼓励大家放弃开车，下来走走路。我相信这是一个新的行的美学，让你重新回到人类步行的原点，恢复身体的速度感，让行的美学重新产生。

自我选择权

在我们把自己行动的速度放慢之后，会有不同的感受从心底生出来。你有没有想过，当车子开得飞快在高速公路上笔直地从 A 点抵达 B 点时，当中错过了生命中多少丰富的事物。

我常常跟很多朋友说，其实人的一生最长的 A 点到 B 点，就是从诞生到死亡。

如果从诞生到死亡是一条笔直的高速公路，那么我宁可慢慢地通过，或者甚至放弃高速公路，我去走省道或迂回的山路，这样是不是可以看到更多的风景？我的生命可以拉到更长的距离。

不知道这样讲合不合逻辑，就是 A 点到 B 点是一个最快的距离，也是最快的速度，我们以为大家一定得选择这条路，可是其实并不一定，在每一个过程当中，都有你生命应该停下来浏览、欣赏、感受的事物。

我提过好几次古代东方有一种建筑非常重要，就是亭子的“亭”。

我们游山玩水时会忽然发现某一个山头上出现了一个亭子，在台湾，常会运用不同的材料盖出来，其实我不在意盖得好看与否，但认为至少那是一个很重要的提醒：就是你应该要停下来了。我们不要忘记，亭子就是让你停下来的地方，叫你不要匆匆赶路，你用生命赶路其实是不值得的，因为生命应该停下来做很多的观赏、体会很多的感受，留出一些跟自己对话的空间。所以我觉得东方的亭子建筑，其实涵蕴非常深刻的哲学意义。

在爬山的过程里，我们也知道不可能一口气就登上峰顶。我常常向朋友提到一本很喜欢的书和电影《长跑者的寂寞》（*The Loneliness of the Long Distance Runner*）。

这本书的作者西利托（Alan Sillitoe）是一位世界有名的长跑健将，他在书中将自己长跑中的感受分享出来。他认为长跑跟短跑绝对不一样，短跑需要爆发力跟冲刺力，但是长跑就要储蓄你的生命力量，才能跑得长久撑到终点。

我想人生就像马拉松赛跑，如果冲得很快大概很快就完蛋了，根本跑不到终点。我们看到许多身边的朋友、社会知名的人士跑不到生命的终点，在他生命很快结束的时刻，我们会有这么多的遗憾、对他的哀悼和惋惜，觉得如果他们放慢了步调，其实可以创造出更多生命不同的意义跟丰富的价值。

行的速度，其实是工业革命以后我们人类面临的一个巨大美学课题，就是行动速度本身跟生命之间有这么多互动的关系，只是我们没有明显地意识到罢了。

所以先进的工业革命国家才会在城市里特别设计出人行步道，来提醒我们、鼓励我们，或者建议我们：你可以有车子，可是你也可以不开车子。我想这里又回到我们刚刚提到的美学基本规则——你有，而你可以不用，才是美。

很多有车的朋友跟我提到开车问题，那副愁眉苦脸的表情让我觉得怎么车子变成负担了！它应该是一个方便代步的工具，结果反而变成负担。我想食物也好、衣服也好、房子也好、车子也好，我们看到食、衣、住、行这四样当中任何一个东西变成你的负担，其实都违反了美学的规则。

我们不要变成物质的奴隶。譬如我可以吃得多，可是我也可以吃得少。我有很多机会去吃驼峰、熊掌这种奇怪的食物，可是我也可以选择去吃山苏刚刚冒出来的嫩芽，或者春天刚刚发出来的春笋。那些不是昂贵的食物，但让我品尝到生命里面轻淡的滋味，这才是美。

现在西方先进社会除了人行步道区的规划外，在巴黎、阿姆斯特丹等地，还特别为骑脚踏车人士规划出专用道，连红绿灯号的使用也优先于汽车驾驶。看到这样的设计我心里有很大的感动，也盼望我们的城市应该尽快效法，那么这个不断地往前冲、只追求速度快感的社会，才可能有一个缓慢下来的心情，可以寻找到自己生命的美的感受。

心灵放慢

在讨论到食、衣、住、行美学的时候，我们希望自己的生活基本上都有缓慢下来的可能，缓慢，恐怕是建立生活美学品质的第一步。

也许有朋友会反问，在这样一个越来越匆忙的工商业社会，每天忙着上班、忙着所有繁杂的事务，我怎么可能缓慢？

我一直觉得缓慢本身，要架构在“心情”上面。汉字里面有一个非常重要的字，它的结构很有意思，就是“忙”这个字，心字边一个死亡的亡。因为你太忙，可能心灵的感受全部停止、全部没有了。我们明明创造了一个汉字，告诉你“忙”就是心灵死亡的开始，所以如何让自己的心境悠闲就变得十分重要。

可是我们在现实生活当中，往往不太能够反省。不知道大家有没有发现，我们每一年都在拓宽马路，可是还觉得不够。岛上一条高速公路不够，再建第二条高速公路还是不够……

大家能不能做点逆向的思考：

我们的确需要这么快的速度吗？

我们要到哪里去？

这种哲学性的询问是希望让大家深思，我们应该一直满足或者继续加快所有人速度的快感吗？

如果有一天一个岛屿上有十条高速公路，我们还剩下哪些好的环境？

不要忘记多开了一条高速公路，我们的山林、海边、所有的自然都会被破坏，我们要继续开辟这些高速公路下去吗？有没有其他的可能？

巴黎是我熟悉的城市，当我自己在那儿读书时居民就一直在增加，到现在几乎有两千万人了。巴黎的交通网当然也随着人口的增加而不断开发，所以美丽的塞纳河边全部建成环河的快速道路。大家每天上下班，进出巴黎，都经过塞纳河边。英国的戴安娜王妃出车祸的地方，就是塞纳河边的快速道路。

2002 年时，我看到塞纳河边发生了很有趣的改变。有一个很大的招牌竖立着，上面写着法文 Plage，意思就是靠近水边的河滩或海滩。

原来巴黎新选出的市长戴兰诺异想天开，他想到以前塞纳河边是大家洗衣服、聊天、散步、游玩的地方，曾几何时美丽的河边变成人开着车子呼啸而过的高速公路。他就决定每一年的 7 月 14 日法国国庆之后到 8 月 15 日一个月间，进行一项沙滩计划。

市政府封闭塞纳河环河快速道路，运来沙子铺满柏油马路，再搬来大概有三米高的棕榈树盆景，将河旁边布置成沙滩。市政府还准备了上千张躺椅，邀请所有巴黎的市民穿着泳装来晒太阳！旁边还有临时接好的活动厕所以及淋浴设备，准备得很周到。

我当时简直不敢相信这个计划会成功，我觉得一个市长怎么可能会有兴致安排一场环河道路的嘉年华会？

譬如说，台北市的环河快速道路如果封起来，铺了沙，移来很多盆杜鹃，摆放很多椅子，我躺在上面晒太阳，会是一个什么样的景象？

可不可能有一天从林口到台北交流道的一段会封闭起来，变成一场行为艺术，很多人躺在那边晒太阳，那又会是什么样的画面？

当时半信半疑的我却看到这个计划成功了！巴黎人放弃开车，他们用步行的方法走在这个沙滩上，带着宠物在那边浏览、散步，很多人换上泳装在躺椅上晒太阳、抹防晒油，然后淋浴，甚至在那个沙滩上打排球。

我拍了好多张照片带回来给朋友们看，我问朋友们，你们可以想象一个城市的高速公路变成这样的景象吗？

一个城市的梦想竟然实现了！

这个计划第二年再度举办，2003年的夏天我又跑去，看到这个计划比前一年更成功，很多的厂商赞助活动，更多的躺椅鼓励更多的人在这里休闲、休憩。我不知道大家会不会感觉到，这是一个“慢下来”的鼓励，告诉你这条路是巴黎河边最美丽的一条路，我们应该慢下来去体验它的美丽，而不是快速地经过。后来我和现场的朋友聊聊，很多人是巴黎的上班族，原本每天上下班都开着车子经过这条环河快速道路。他们很高兴可以在塞纳河边散步，躺在椅子上晒太阳，看到美丽的桥梁在河水里的倒影，他们过去从来不认为居住的城市是这般美好。

我在想，这样的梦想可不可能在我们的城市里实现？有一天我们上班的那条路会铺满了沙，上面移来很多美丽的花，摆了多张躺椅，大家可以在那边晒太阳。

也许我在谈一个梦想，可是我亲眼看到在另外一个国家，这个梦想在现实里完全实现了！

快与慢
平衡的生命

食衣住行在任何一个民族、任何一个国家、任何一个社会，都是跟人民的生活最息息相关的部分。我们希望所有的美能落实在生活当中，才会比较具体，不会空洞。

如果一个社会贫穷到没有什么东西吃、没有什么衣服穿的状况，其实也无从谈起美学这件奢侈的事。中国古代一直认为“仓廪实而知礼节”，仓廪就是仓库，储藏粮食的仓库很充实，人民吃得饱了，才会开始遵守礼义教化。可见在我们肚子很饿的状况里是没有办法谈美的，因为生存最重要。所以我们基本上认为温饱是美学的基础，在社会衣食住行的基本物质条件解决后，再在精神层面上做更多一点的祝福，希望这个社会能够富而美。

虽然说富有之后才有美的可能，但是我们并不见得这么盲目地乐观，因为富有带来的不一定是美。

之前提过有人可以大吃大喝到让自己不舒服，生各种的病。在强调吃到饱的社会，是因为物质太过多了，没有节制，所以也不是美。人们必须富有后才有很多的选择，而在选择当中自己能不能节制？

现在我面前如果有十道菜，我知道自己胃的容量，这十道菜对我来说太多。所以我知道如何选择其中我要吃的东西，品尝到愉快的味觉经验，也可以吃饱。

可是选择是慢慢培养、教育出来的，在没有这个好的教养之前，我们真的无从选择起。

像吃到饱的文化或办桌时大吃大喝的场面，其实都会带来对味觉的伤害或者对身体的伤害。现在也有许多孩子身体提早发生问题，或有心血管疾病、各种官能症等，其实跟食物的不节制可能也有关系。

我很眷恋我的旧鞋，因为刚买来的鞋子总是有点磨脚，慢慢穿了几个月以后才会觉得舒服，一年以后觉得更合脚了。如果现在有人强调要追求时髦，不断地换新鞋，其实会让自己的身体很不舒服。

所以我一直觉得服装也有它的记忆在里面，除了质料上的温暖外，还夹杂着一种人性的温暖。我会保留母亲手工帮我织成的毛衣，永远珍惜这件衣服；一件朋友送给我的白衬衫，我有时候舍不得用洗衣机洗，我会用手去慢慢地搓掉领子上的一些污垢，保护这块对我来说非常温暖的棉布，因为朋友的情谊正在其中。

我相信物质永远不会变成真正美的东西，物质会变美，是因为人给出很多的情感，就是你真正很细心去烹调的那一道菜、你很精心地去洗出来的一件衬衫，你付出的爱使物质变美了。

今天很多人的家里都充满了各种加快速度的机器。我们希望更快，所以有洗碗机、洗衣机、微波炉、烤箱、冰箱，利用家庭各种用具来代替过去传统生活里缓慢的生活。无可厚非，我也是如此，我也买了很多这种机器。就像我有洗衣机，可以把洗澡用的大毛巾、粗牛仔裤丢进去洗；可是我发现我最喜欢的那件衬衫，我是用冷洗精泡着、加一点薰衣草香精，然后我用手慢慢去搓揉它，我会觉得那件衣服对我来说已经不只是物质，而有另外一层情感在里面。

我想特别强调，快不一定是美，有时候慢下来才是美。

一种缓慢的心情，一种跟物质缓慢接触的情感，才有可能变成我们自己重新在生活中找回美的一种态度。

慌乱造成不美

我们提过，美是一种选择，美是一种节制，美有时候并不一定是多，美其实反而是少，或者放弃。

讲到放弃，我的意思并不是要去对抗现代的物质或者科技文明。

其实我对现代科技产品充满好奇，在还不是很会使用计算机的时候，我已经买了三台计算机，就是单纯觉得计算机的造型太可爱了，设计得这么漂亮。我会买一个 PDA 摆在家里把玩很久，最近又添了一个 iPod。我觉得机器带来很多方便，例如过去录音机能收录的歌曲不多，可是一个 iPod 容量是 20GB，也许能放一万首歌在其中。可是同时我希望要谈的是，我觉得我的快乐跟幸福在于：即使我在 iPod 里面录了一万首歌，可是我知道我最喜欢的有哪几首。很有趣的是，我也发现自己常常听的就是那几首在我生命里面有复杂记忆的歌曲，可能是妈妈教我的一首儿歌，可能是我在读中学时学的第一首英文歌，或者我高中时跟朋友出去玩常听的披头士的歌，或者我在法国所听到台湾南声社的南管，就是那些在我生命里有非常深刻记忆的歌曲，我会常常找出来重复聆听。

我还是要强调，美应该有很多选择，可到最后，美是一个我们自己非常清楚确定的选择，不会是多到无从选择的状态。

一个人面对很多的物质无从选择时，就会产生慌乱状态，而慌乱的状态刚好构成不美的现象。

回到生活面来，我当然拥有微波炉，如果工作很忙的时候，我会用它来加热食物，可以一分钟就把一份食物热好了，非常方便。可是如果周休二日我两天不出门待在家里，那我为什么还要使用微波炉？

我有一个铁胎陶锅，用它炖的菜永远比微波炉食物好吃，因为它适合用小火慢慢去炖煮食物，这时我就需要时间了。对我来说，用陶锅炖煮出来的成品就像是一个艺术品一样。

有人认为工作忙碌，生活贫乏单调，所以想去学画、学音乐来调剂性情；可是我对他们这类人的建议是不同的，我觉得好好为自己做一盘菜，其实跟画画一样能让自我得到纾解。

你买来一个最嫩的嫩姜，刀子切下时你完全可以感觉到姜的香味，那种新鲜释放出来的香味；你用刀子把姜切成薄片，然后再切成细细的姜丝，用醋浸泡后，能够拿来配合很多的料理。这样手工处理的食物，跟微波炉做出来的食物当然有所不同。

可能在生活的繁忙过程里，快餐是不可避免的一个现象。可是不要忘记，慢下来，你可能重新找回美、重新找回了自己。

我也常跟朋友说，人生从诞生到死亡如果是一条高速公路，那么我宁可另辟蹊径。人生只有一次，我为何要那么快走完全部的路程？我觉得可以慢慢地走，每一段过程、每一分、每一秒，都可以停下来做一点观看、做一点欣赏。

人生，应是可以随时停下来缓慢行走的一条路，而不是一条快速的高速公路。

随时准备刹车

我们在生活美学谈到行，谈到速度。从最古老的人类步行开始，谈到坐轿子、坐牛车，以及坐船、坐汽车、火车。工业革命以后才发明的交通工具，速度快很多，可是时间却很晚，相对于人类上千年甚至上万年的步行记忆，车子的发展可能才一两百年而已。所以我们的速度是呈倍速在增加，这种倍速增加的速度使我们有一点刹不住车了。

我常常提醒朋友们，你的速度越来越快，如果一旦需要刹车的时候，紧急刹车是会出事的。

你该如何让自己有一只脚永远踩在刹车上，让自己的速度同时可以加快油门，同时可以放慢速度。今天大部分人都希望上车以后可以只踩油门，不必刹车。可是不要忘记，人生需要刹车，人生需要不断准备刹车，才能维持一个稳定的方向。我们知道加快油门是加快速度，刹车的准备是让自己可以停下来。

最美好的生命，不是一个速度不断加快的生命，而是速度在加快跟缓慢之间有平衡感的生命。

我们不断地提到平衡，希望大家吃得平衡、穿得平衡、住得平衡，最后还是回到行，在速度上也能够平衡。我们提到的不只是交通工具这类较容易理解的速度感问题，我还想谈谈电讯系统。电话、手机的发展历史都不长，可能十年前大家看到那种大金刚式手机，还觉得非常好笑，可是今天一个人也许有两三个手机了。年轻人还在手机里传短信、上网，随着手机使用的速度增快，我们的人际关系也整个被改变。

我自己现在也拥有两个手机，然而有时候我会想什么时候我可以关掉手机，决定一段时间不要用手机了。其实有一段时间我在大学里教书，我就觉得没有办法教下去了，因为所有的学生在课堂里都在接手机、看信息，所以这时我们会思考到：这种速度的加快所带来的是幸福吗？还是其实是一个新的迷思？

我们也有计算机了，每天我在计算机里存入三千字左右的文字来记录自己的生活，现在上网购买飞机票、火车票也非常容易，用计算机找数据也非常快速，我太感谢这样的现代科技产品。

可是同时，我也必须让另外一只脚踩在刹车上，知道我自己每天上网花去多少时间。我当然跟所有年轻人一样，有一段时间迷失在网络世界里，每天八个小时、十个小时，甚至十二个小时都在网络上，觉得快乐得不得了。可是有一天我有一个学生发生视网膜剥离这么严重的问题，医生限定他每天上网不能超过五小时，他却停不下来，导致整个身体出了问题。

我也知道有人每天戴着耳机听音乐，最后造成严重的听障。因为感官是有极限的，如果不断地刺激同一个感官，只会造成递减效果，最后变成麻木。

所以在行的部分最后的美学规则，其实是踩刹车，永远要做踩刹车的准备。

在你加快油门之间，另外一只脚不要忘记准备踩刹车，于是生活会在进跟退之间取得平衡。有一个成语叫作“进退失据”，进也不是，退也不是，已经失去了平衡、失去了依靠的状态，我觉得现代人可能常常在这样的状态里。所有现代科技让我们更快速地跟人沟通，可是有一种心灵的沟通却在这么快速大量的状况里迷失，反而找不到了知己。

有时候看到很多人在网络上的迷失，透露出个人的荒凉感跟孤独感。我在想，之所以发明电话、传真机、手机，不就是为了让人更容易沟通吗？怎么结果却适得其反！

有一次我和一些学生到山里去看萤火虫。萤火虫在黑暗中放出有频率的光，闪一下、闪一下，亮起来，这是它们正在求偶的信号。我们坐在没有一丝光线的黑暗当中看到萤火虫的信号，其实非常感动，就觉得连动物、连昆虫都在沟通，都在告诉别人说："我在这里，我需要一个朋友，我需要一个配偶。"

就在这个时候，我忽然看到那位手机没有关掉的学生，他手机上面发出的亮光竟然和萤火虫的闪光这么像，隔几秒钟闪一下，隔几秒钟闪一下。我忽然感觉到一种人的孤独，就是手机的功能是人际的沟通，可是它真的帮助你与他人沟通了吗？我想最后沟通的关键，还是和内容有关。

我经常接到短信，往往是由一个学生同时发到很多人的手机中。我在网络上打好一封信，可以同时 Email 给好多人；再把通讯簿设计一个程序，就可以将这封信发给一两千个人，我自己现在就收到很多这样的信。也有许多朋友反映说现在好多垃圾邮件，所以在计算机上收信时，第一个动作就是 Delete，一直删除一直删除，甚至得封锁某些地址。

这个时候你会感觉到量的扩大、时间的加速，却反而失去了人跟人真正可以沟通的可能性。

所以有没有可能我们也在网络上踩一下刹车，就是这项科技文明带来的应该不只是方便，还要有更深的内容？有没有一封 Email 会让我们真正静下来，看久一点，看完以后甚至把它打印出来，觉得好久没有看到这么美的一封信了？如果我们在看Email时一直在删信状态，就表示人与人之间的沟通无法真正留下长久的印记。

来日方长

生活美学在行的部分最后一个单元，我们谈谈人自己身体的速度。

自古以来人们一直渴望自己的速度越来越快，所以古老的神话里有嫦娥奔月、哪吒踩在风火轮上，都是幻想出来的速度。可是今天人类真的登上月球了，现在的汽车、火车、飞机这种快速度的交通工具，大概比哪吒的风火轮速度还快得多。我们发现人类过去对速度的幻想，今天都成真了。美梦成真，当然带来了幸福感，可是不要忘记，人类的为难在于得到幸福感的同时，也会有失落感。

我常常在想：人最幸福的时刻，会不会是在梦想还没有达成之前，对梦想还充满了希望的时刻？

我发现好多朋友在梦想完成之后，随之而来的是很大的破灭跟失落。

一位医学上的朋友告诉我，有一种病叫“产后忧郁症”，女性在怀孕过程中产生很大的喜悦，因为她的身体里面孕育着一个新生命，但在生产后会觉得身体里面忽然掏空了而有失落感，这就是“产后忧郁症”。我觉得自己好像也经历过“产后忧郁症”，当然绝不是经由怀胎或者孕妇的生命经验，而是我在每一次渴望着，尤其是过度激情渴望着一个事件发生的时候，当事情真如预期中发生后，失落的、破灭的荒凉感却也随之袭来。我相信今天在人类科技发展过程当中，这种情况也是如此。

谈到告别，大家可能看过《泰坦尼克号》这类的电影，岸上的人向船上的人告别，牵上好长好长一条纸线，随着船越来越远，纸线断掉了。我不知道大家会不会觉得那种方式好像是比较温暖或人性的告别？现在我常常觉得我们的生活里因为速度太快，已经匆忙到没有告别可言了。

古代诗人在和朋友告别时，会折下柳条送给朋友，劝对方再喝一杯酒吧，说你从这里往西边出了阳关，就没有亲人了。《阳关三叠》

是一首告别的诗，这样的诗情今天还会存在吗？

我们每一次在地铁站跟朋友的告别、在火车月台跟朋友的告别、在机场跟朋友的告别，好像都变成匆匆忙忙，而没有心情上的联结。

行进的速度快到最后，我们觉得没有什么事情是长久的，所以我最近常常喜欢写四个字送给很多的朋友，就是古老的一个成语“来日方长”。

我觉得这个成语里面蕴涵许多的祝福在其中，因为感觉到后面还有很长的日子，所以速度可以慢下来，可以慢慢去感觉自己的生命，而不用觉得好像已经急迫、焦虑、慌张到没有未来了。

一位朋友带我坐上他新买的跑车去兜风，告诉我速度感的快乐，我绝对可以理解他的快乐，可是不要忘记，速度的快有快感，速度的慢有另外一种幸福，这两种截然不同。

在我们生命里都可以去体验到这两种快乐，就是你自己决定一个礼拜的七天里，哪几天你要快，哪几天你要慢，这是我们自己可以选择的；所以我们又回到了一个主题，就是选择，有选择的可能，才是美的。

你自己可以决定将车子开到多快，赶去某个地方把事情办完——可是你也可以哪一天放弃开车，决定走路。现今发展成熟的都市会规划出人行步道，在巴黎、伦敦、纽约、东京，我们看到那么宽敞的人行步道，鼓励大家放弃开车、慢下来、走走路。

我也跟大家介绍过巴黎连续两年的“沙滩计划”，将塞纳河旁边的高速公路全部铺上沙子，让大家躺下来晒太阳。如果有一天，我们也可以把林口泰山那一段的高速公路封闭一个月，全部铺上沙，让大家晒晒太阳……我想很多人都会觉得这是一个不可能的梦想，可是也许它会变成台湾另外一个节日吧！慢下来的节日！可以让我们用另外一种速度，去感觉外面的空间和领域。

另外，为了沟通速度的方便，我家里有一部电话，可是我觉得仅仅一部电话不够用，于是又加装一个可以留言跟传真的传真机。我同时又有两个手机，然后还有很多以Email通讯的方式。但是我会回过头来问我自己：虽然有这么多的方法可以和人沟通，但到底朋友当中有没有三五个人是我的知己，在我最忧伤的时候我可以跟他谈话，在我最孤独的时候，我愿意把心事告诉他。这个时候我会发现，我要的不是速度的快，反而可能是速度的慢。

在生活美学最后的结语，我还是希望大家不要忘记“忙”这个汉字：一边是心，一边是死亡。

当心死亡的时候，就是在忙碌的状态！

可是，忙，是心情的一种感觉，我们可以练习在任何速度加快的状态里，都不要让自己觉得忙碌。所以我也才会强调应该一只脚踩着油门，另外一只脚永远准备刹车，这样你才会有一个平衡，你才有停下来爱生命、欣赏生命的可能。

衣食住行，人间品味。

新出图证（鄂）字 03 号

图书在版编目（CIP）数据
品味四讲 / 蒋勋著. -- 武汉：长江文艺出版社，2017.7（2020.4重印）
ISBN 978-7-5354-9284-5

Ⅰ.①品… Ⅱ.①蒋… Ⅲ.①散文集－中国－当代 Ⅳ.①I267

中国版本图书馆 CIP 数据核字（2016）第274445号

著作权合同登记号：17-2016-2348

本著作物经厦门墨客知识产权代理有限公司代理，
由作者蒋勋独家授权，在中国大陆出版、发行中文简体字版本。

策　　划：刘　平　　　　责任编辑：吴　双　今　夕
封面设计：TEAYA　　　　责任校对：韩　雨
责任印制：张　涛

出版：长江出版传媒　长江文艺出版社
地址：武汉市雄楚大街 268 号　　　邮编：430070
发行：长江文艺出版社
北京时代华语国际传媒股份有限公司　（电话：010-83670231）
http：//www.cjlap.com
印刷：北京中科印刷有限公司

开本：880毫米×1230毫米　1/32　　印张：7.5
版次：2017 年7月第1版　　2020年4月第14次印刷
字数：200千字

定价：48.00 元